Chères lectrices,

Que vous souhaite ... nce ?
Du succès dans tout ... rtout
de l'amour, car quoi ... oirée
en compagnie de l'h ... à son
côté, amoureuse comme au premier jour ?

Et que celles d'entre vous qui n'ont pas encore trouvé l'âme sœur se rassurent : l'amour surgit toujours au moment où on l'attend le moins ! Vous en trouverez un parfait exemple dans le premier roman de ce mois, *La fiancée du cheikh* (Passion n° 1393), où notre héroïne, Rita Thompson, rencontre l'amour en acceptant d'accompagner son séduisant patron dans le lointain royaume d'Emand. Quant à l'histoire de Candice Hammond, l'héroïne d'*Un piège délicieux* (Passion n° 1397), elle séduira les plus passionnées d'entre vous : n'avez-vous jamais rêvé, en secret, de vous retrouver obligée de passer toute une soirée en tête à tête avec un homme délicieusement troublant ?

Pour ma part, je vous avoue que je me suis particulièrement régalée à la lecture du *Temps de l'amour*, le premier volume de notre nouvelle saga, « La dynastie des Ashton » (Passion n° 1396), que vous retrouverez tout au long de l'année. Et j'espère que vous aurez autant de plaisir que moi à découvrir les pouvoirs de la passion à travers l'histoire des retrouvailles de Dixie Mc Cord et de Cole Ashton.

Placée sous le signe de l'amour, cette année promet d'être riche en émotions ! Excellente année à toutes, et bonne lecture.

La Responsable de collection

Chère lectrice,

Que vous souhaiter pour la nouvelle année qui commence ? Du succès dans toutes vos entreprises, bien sûr, mais surtout de l'amour, car quoi de plus agréable que de passer une soirée en compagnie de l'homme qu'on aime, et de se réveiller à son côté, amoureuse comme au premier jour ?

[illegible]

[illegible]

[illegible] Excellente année à toutes, et bonne lecture.

La responsable de collection

Amant ou garde du corps ?

LISA JACKSON

Amant ou garde du corps ?

Collection *Passion*

*éditions*Harlequin

Cet ouvrage a été publié en langue anglaise
sous le titre :
BEST-KEPT LIES

Traduction française de
ROSA BACHIR

HARLEQUIN®

est une marque déposée du Groupe Harlequin
et Passion® est une marque déposée d'Harlequin S.A.

Originally published by SILHOUETTE BOOKS,
division of Harlequin Enterprises Ltd.
Toronto, Canada

83-85, boulevard Vincent-Auriol, 75013 PARIS — Tél. : 01 42 16 63 63
Service Lectrices — Tél. : 01 45 82 47 47
ISBN 2-280-08424-4 — ISSN 0993-443X

Prologue

— Ma petite Randi, je vais bientôt passer l'arme à gauche. Aucun doute là-dessus.

Randi McCafferty se figea sur place. Elle venait de dévaler l'escalier à toute allure, faisant résonner ses nouvelles bottes sur les vieilles marches de bois de la maison qui l'avait vue grandir, un antique ranch aux multiples recoins situé sur une pente de Grand Hope, dans le Montana. Perdue dans ses pensées, elle ne s'était pas rendu compte que son père était à demi allongé sur sa chaise longue, le regard rivé sur l'âtre noirci de la cheminée en pierre du salon.

John Randall McCafferty était encore imposant, mais le temps avait mis à rude épreuve sa stature naguère robuste et ravagé les traits de son beau visage, qui lui avait valu bien des ennuis.

— De quoi parles-tu ? demanda-t-elle. Tu ne vas pas mourir !

— Tout le monde meurt un jour.

Il leva les yeux vers elle et poursuivit :

— Sache simplement que je te lègue la moitié du domaine. Les garçons n'auront qu'à se battre pour avoir le reste. Le M Volant sera à toi. Très bientôt.

— Tu ne devrais pas parler comme ça, dit-elle en s'avançant dans la pièce où il faisait bien chaud.

Elle regarda à travers la vitre poussiéreuse, et passa en revue la véranda puis les vastes hectares de terres qui s'étendaient sous le ciel bleu du Montana. Près de l'écurie et de l'étable, le bétail et les chevaux paissaient dans les champs qui ondulaient sous le vent.

— Mieux vaut te faire à cette idée, affirma-t-il. Viens par ici. Approche, approche donc ! Tu sais bien que j'aboie mais que je ne mords pas.

— Bien sûr que je le sais.

Randi n'avait jamais eu à souffrir du mauvais caractère de son père, contrairement à ses demi-frères qui y avaient été confrontés en quelques occasions.

— Je veux seulement te regarder. Mes yeux ne sont plus ce qu'ils étaient.

Il eut un petit rire qui fut interrompu par une quinte de toux si violente que Randi en eut mal pour lui.

— Papa, je crois que je ferais mieux d'appeler Matt. Tu devrais être dans un hôpital.

— Fichtre, non !

Tandis qu'elle se dirigeait vers lui, il agita sa main noueuse comme pour chasser une mouche.

— Aucun de ces maudits docteurs ne me fera le moindre bien.

— Mais…

— Suffit, tu veux ? coupa-t-il. Pour une fois, c'est à toi de m'écouter.

Le regard incroyablement clair de son père se riva au sien pendant qu'il lui mettait une enveloppe jaune dans la main.

— C'est l'acte de propriété du ranch. Je lègue l'autre moitié à Thorne, Matt et Slade. Voilà qui devrait être intéressant, dit-il avec un rire morbide. Ils vont probablement se bagarrer comme des vautours sur une proie. Mais ne te fais pas de souci. Tu détiens la part du lion.

Il sourit puis ajouta :

— Toi… et ton bébé.

— Mon quoi ? s'enquit-elle sans ciller.

— Mon petit-fils. Tu le portes, n'est-ce pas ? demanda-t-il, les yeux plissés.

Randi sentit une onde de chaleur lui brûler la nuque. Elle n'avait parlé à aucun de ses proches de sa grossesse. Personne ne savait. Personne, sauf son père, apparemment.

— Tu sais, j'aurais préféré que tu te maries avant de tomber enceinte, mais ce qui est fait est fait. Je ne vivrai pas assez longtemps pour voir le petit, mais vous êtes tous deux entre de bonnes mains. Le ranch vous mettra à l'abri du besoin.

— Je peux très bien me débrouiller seule, tu n'as pas à faire ça.

Le sourire s'effaça du visage de son père.

— Bien sûr que si, Randi. Il faut que quelqu'un veille sur toi.

— Je peux prendre soin de moi et… et d'un bébé. J'ai un bel appartement à Seattle, un bon travail et…

— Et pas de compagnon. Du moins, pas un homme digne de ce nom. Vas-tu me dire qui t'a mise enceinte ?

— C'est une conversation d'un autre âge.

— Tous les enfants méritent de connaître leur papa, dit le vieil homme. Même si c'est un misérable vaurien qui a abandonné la femme qui porte son enfant.

— Si tu le dis…

Elle tritura le bord de l'enveloppe qui, elle le sentit sous ses doigts, contenait plus qu'un simple papier.

Comme s'il devinait sa question, il précisa :

— Il y a un collier aussi, un médaillon. Il a appartenu à ta mère.

La gorge de Randi se serra l'espace d'une seconde. Elle se souvenait très bien de ce médaillon. Enfant, elle avait plus d'une fois joué avec le cœur en or orné de diamants scintillants qui pendait au cou de sa mère.

— Je m'en souviens. Tu le lui avais offert le jour de votre mariage.

— Exact.

Il hocha la tête et son regard s'adoucit.

— Son alliance est aussi dans l'enveloppe, ajouta-t-il. Si tu la veux, elle est à toi.

Les larmes montèrent soudain aux yeux de Randi.

— Merci, dit-elle simplement.

— Tu peux me remercier en me donnant le nom du fumier qui t'a fait ça.

Elle releva le menton et fronça les sourcils.

— Tu ne vas pas me le dire, hein ? supposa-t-il.

Randi regarda son père droit dans les yeux.

— Pas avant que l'enfer gèle.

— Bon sang, petite, ce que tu peux être têtue !

— J'imagine que c'est de famille.

— Et ça te perdra, tu peux me croire.

Randi sentit une froide prémonition l'envahir, mais elle ne changea pas d'avis. Pour le bien de son futur enfant, elle garda les lèvres scellées.

Personne ne saurait jamais qui était le père de son bébé.

Pas même son fils.

1.

— Bon sang ! marmonna Kurt Striker dans sa barbe.

Le travail qui lui était proposé ne le réjouissait guère, mais il ne pouvait pas refuser. Et pas seulement à cause de la rémunération qu'on lui offrait pour cette mission. Cela représentait une jolie somme ! Il trouverait bien comment employer vingt-cinq mille dollars. Qui ne le pourrait pas ?

Devant lui, sur la table basse, il y avait un chèque du montant de la moitié de la somme. Il n'y avait pas encore touché.

A cause de la nuit dernière. A cause de son secret…

Debout dans le salon du M Volant, il écoutait le crépitement du feu qui réchauffait ses mollets, et contemplait les champs enneigés à travers les vitres couvertes de givre.

— Alors, Striker, qu'en dis-tu ? demanda Thorne McCafferty, l'aîné des trois frères.

Homme d'affaires-né, c'était toujours lui qui prenait les choses en main.

— Marché conclu ? Tu veilleras sur notre sœur ?

La mission était délicate. Striker devait devenir le garde du corps personnel de Randi McCafferty, qu'elle le veuille ou non. Elle ne serait certainement pas d'accord, il en aurait mis sa main au feu !

Il avait passé suffisamment de temps avec la fille unique de feu John Randall McCafferty pour savoir que quand elle décidait quelque chose, rien ni personne ne pouvait la faire changer d'avis. Or, il semblait bien que ses trois demi-frères s'étaient mis en tête de protéger coûte que coûte leur impétueuse sœur.

Randi McCafferty était du genre à causer des ennuis, aucun doute là-dessus. A la façon dont elle s'était dépêchée de filer, quelques heures plus tôt, il en avait déduit qu'elle avait fait son choix. Elle était bien décidée à rentrer à Seattle pour retrouver son appartement, son emploi, et son ancienne vie, quelles que soient les conséquences.

Elle s'éloignait.

De ses trois envahissants demi-frères. Et de lui.

Striker n'appréciait pas du tout cette situation, mais pour le moment, il ne pouvait décemment pas se confier à ces trois hommes. Tout en promenant son regard d'un frère angoissé à l'autre, il évitait d'étudier ses propres émotions de trop près. Il ne voulait pas admettre que ses réticences à accepter cette mission étaient dues au fait qu'il refusait de nouer de liens avec une femme. Avec les femmes en général, et avec la sœur de ces frères coriaces et surprotecteurs en particulier.

C'est un peu tard maintenant, tu ne crois pas ?

Randi était une femme très sexy ; elle avait de l'allure et de l'énergie à revendre. Une forte femme qui, il le soupçonnait, en digne enfant de John Randall McCafferty, menait sa vie à un train d'enfer et exactement comme elle l'entendait. Elle n'apprécierait certainement pas que Striker lui tourne autour et aille fourrer son nez dans ses affaires, même si c'était pour la protéger. En fait, elle se montrerait probablement hostile. Surtout maintenant, après ce qui s'était passé entre eux.

— Randi ne va pas sauter de joie, commenta Slade, le plus jeune des fils McCafferty, faisant écho aux pensées de Striker.

Dans son jean et sa chemise en flanelle délavée, Striker se dirigea vers la fenêtre et rejoignit Slade qui contemplait le paysage hivernal. La neige recouvrait les champs, où quelques têtes de bétail et quelques chevaux se pressaient les uns contre les autres pour se protéger du froid.

— Bien sûr qu'elle ne va pas être ravie. Qui le serait, à sa place ? déclara Matt.

Le deuxième des trois frères était assis sur le canapé au cuir usé, le talon de sa botte posé sur la table basse, à seulement quelques centimètres du chèque de douze mille cinq cents dollars.

— Moi, je détesterais ça, ajouta-t-il.

— Elle n'a pas le choix, rétorqua Thorne.

P.-D.G. de sa propre compagnie, l'aîné de la famille était habitué à donner des ordres et à ce que ses employés lui obéissent au doigt et à l'œil. Il avait récemment quitté Denver pour revenir à Grand Hope, sa ville natale, mais sans pour autant perdre ses manières autoritaires.

— Nous nous étions mis d'accord, non ? rappela-t-il à ses frères. Pour sa sécurité et celle du bébé, il lui faut un garde du corps.

Matt acquiesça d'un bref hochement de tête.

— Oui, nous étions d'accord, concéda-t-il. Mais ce n'est pas ça qui rendra la situation plus facile à accepter pour Randi. Même si Kelly est de la partie.

Ancien officier de police, Kelly, l'épouse de Matt, s'était reconvertie en détective privé. Elle avait accepté de prêter main-forte à Striker, d'autant plus volontiers qu'il s'agissait de sa belle-sœur.

Cette beauté rousse à l'esprit vif serait un atout pour l'enquête à mener, se dit Striker, mais il n'était pas convaincu que Kelly McCafferty pourrait amadouer Randi. Non, tout compte fait. Travailler avec un membre de sa famille ne ferait que compliquer une situation déjà épineuse.

Il jeta un coup d'œil au plus jeune des McCafferty, l'ami qui l'avait entraîné dans ce pétrin. Slade regardait toujours dehors.

— Ecoutez, nous avons une mission à remplir, et pas de temps à perdre. Quelqu'un essaie de la tuer, dit-il sans quitter la fenêtre des yeux.

La mâchoire de Striker se contracta. Ce n'était pas une plaisanterie, la vie de Randi était en jeu et, au fond de lui, il savait qu'il accepterait cette mission. Il ne faisait confiance à personne pour se charger de cela à sa place. Randi McCafferty avait beau être indocile et têtue, elle avait dans le regard une étincelle qui le touchait au plus profond. Une sensation qui s'était emparée de lui pour ne plus le quitter…

La nuit dernière en avait été une belle preuve.

Thorne était agité. L'inquiétude se lisait sur son visage et il faisait nerveusement cliqueter ses clés dans sa poche.

— Alors, acceptes-tu ce travail ? Ou est-ce que nous devrons trouver quelqu'un d'autre ? s'impatienta-t-il.

A l'idée qu'un autre homme puisse s'approcher de Randi, Kurt sentit son estomac se nouer. Avant qu'il puisse répondre, Slade prit la parole.

— Nous n'engagerons personne d'autre. Il nous faut une personne de confiance.

— Bien dit, approuva Matt.

Slade désigna du menton une jeep qui arrivait dans l'allée.

Une personne de confiance ? Tu parles !

Striker serra les dents si fort qu'il en eut mal.

Slade suivait des yeux le véhicule qui s'approchait lentement.

— On dirait que Nicole est de retour, annonça-t-il.

Le visage tendu de Thorne se relâcha un peu. Quelques minutes plus tard, la porte d'entrée s'ouvrit à la volée et une bouffée d'air froid s'engouffra dans la pièce. Le Dr Nicole McCafferty, qui frissonnait malgré son manteau, traversa le vestibule tandis que de petits pas se faisaient entendre : les deux belles-filles de Thorne, des jumelles âgées de quatre ans, descendaient l'escalier avec fracas en riant et en poussant des cris de joie.

— Maman ! Maman ! s'écria Molly, tandis que sa sœur Mindy, plus timide, se jetait dans les bras de sa mère.

— Hé ! comment vont mes petites filles ? demanda Nicole qui souleva les deux fillettes et les embrassa sur les joues.

— Tu es toute froide ! dit Molly.

Nicole éclata de rire.

— Oh oui ! C'est parce que *j'ai* très froid.

Thorne, qui boitait légèrement depuis un récent accident, se dirigea vers le vestibule et embrassa longuement sa femme tandis que les jumelles gesticulaient entre eux.

Striker détourna le regard avec l'impression d'être un intrus dans cette scène intime. Il éprouvait cette sensation de malaise depuis l'instant où Slade l'avait appelé pour lui demander d'aider sa famille, et qu'il avait mis les pieds pour la première fois au ranch.

Cela remontait au mois d'octobre, quand la voiture de Randi McCafferty avait été forcée de quitter la route, près de Glacier Park. A la suite de son accident, la jeune femme avait accouché prématurément. Son enfant et elle avaient échappé de peu à la mort. Elle était restée dans le coma pendant quelque temps et, à son réveil, avait dû se battre contre une amnésie.

Du moins, c'est ce qu'elle avait prétendu…

Striker pensait que la perte de mémoire, bien que confirmée par son docteur, était un peu trop commode. Il avait établi qu'un autre véhicule avait poursuivi la jeep le long d'une pente raide, jusqu'à ce qu'elle percute un arbre. Randi avait survécu, mais après s'être remise et avoir recouvré la mémoire, s'était refusée à parler de l'accident. Elle ne semblait pas souhaiter découvrir qui pouvait bien vouloir la tuer. Soit elle ne savait rien, soit elle ne voulait rien révéler. Idem pour le père de son enfant. Elle n'avait dit à personne qui avait engendré le petit Joshua.

Kurt se renfrogna. La pensée que quelqu'un puisse être intime avec Randi l'insupportait, même si c'était stupide. Il n'avait aucun droit sur elle. Il n'était même pas sûr de l'apprécier !

Alors, tu aurais dû la laisser partir, hier soir... Tu l'as aperçue depuis le palier de l'escalier, tu l'as regardée s'occuper de son enfant, et tu as attendu qu'elle le mette au lit...

Kurt se remémora cette soirée. Il revit Randi qui chantonnait doucement, assise sur le rebord de la fenêtre. Sa chemise de nuit lui collait au corps tandis qu'elle donnait le biberon à son bébé et le berçait. Depuis l'escalier, il l'avait observée par-dessus la rampe, alors que le clair de lune l'illuminait et lui donnait l'apparence d'une madone. Une image presque spirituelle, mais aussi très sensuelle... Il s'était glissé dans l'ombre et avait attendu. Malgré tous ses efforts pour ne pas se faire remarquer, une des marches de bois avait grincé, et Randi l'avait aperçu sur le palier, les mains posées sur la rampe.

— Si nous allions voir ce que Juanita nous a préparé dans la cuisine, dit Nicole, ce qui ramena brusquement Kurt à la réalité. Ça sent rudement bon !

Elle entraîna ses filles dans le couloir pendant que Thorne retournait dans le salon.

Le sourire qu'il réservait à son épouse et à ses enfants avait disparu. De nouveau, il ne pensait plus qu'à conclure son affaire.

— Alors, Striker, qu'est-ce que tu décides ? C'est oui ?

— Ça représente une sacrée somme, lui rappela Matt.

— Ecoute, Striker, je compte sur toi, renchérit Slade qui n'avait toujours pas quitté la fenêtre.

L'inquiétude le fit plisser les yeux.

— Quelqu'un veut tuer Randi, poursuivit-il. J'ai dit à Thorne et à Matt que si quelqu'un pouvait découvrir le coupable, c'était bien toi. Alors, vas-tu me donner raison, oui ou non ?

Avec un très léger sentiment de culpabilité, Kurt prit le chèque et le glissa dans son portefeuille au cuir élimé. Ce n'était pas la peine de discuter. Il le savait, et depuis le début. Il ne pouvait pas laisser Randi McCafferty quitter la ville avec son enfant et affronter le tueur seule. Autant lui demander d'arrêter de respirer !

Il comptait bien démasquer ce salopard et s'en réjouissait d'avance.

— Oh zut !

Randi avait à peine parcouru une soixantaine de kilomètres depuis Grand Hope que déjà sa jeep neuve faisait des siennes. La direction assistée ne fonctionnait plus et, quand elle se gara sur le bas-côté de la route enneigée, elle constata que son pneu avant gauche était à plat. Il ne l'était pas en partant… Comme elle venait de passer devant une station-service, elle fit demi-tour pour découvrir que la station était fermée. Définitivement. La porte était verrouillée et rouillée, une des fenêtres brisée, et les pompes à sec.

Jusque-là, son grand retour à la civilisation ne se déroulait pas du tout selon ses plans. Quoique, à vrai dire, elle n'ait pas vraiment eu de plan. C'était là le problème. Elle avait prévu de rentrer à Seattle, bien sûr, et assez vite, mais hier soir… avec Kurt… Bon sang ! En se réveillant ce matin, elle avait décidé qu'elle ne pouvait pas attendre une minute de plus.

Tous ses frères étaient à présent mariés. Une fois de plus, elle faisait office de brebis galeuse de la famille et, qui plus est, celle qui leur faisait courir un danger à tous. Il fallait qu'elle réagisse.

Tu te mens à toi-même, n'est-ce pas ? La véritable raison de ton départ précipité n'a rien à voir avec tes frères ou avec leur sécurité. Et tout à voir avec Kurt Striker.

Elle jeta un coup d'œil dans son rétroviseur intérieur, vit la douleur voiler ses yeux et laissa échapper un profond soupir.

— Allez, au travail… murmura-t-elle.

Après tout, elle pouvait très bien changer ce fichu pneu toute seule ; cela ne devrait pas être un problème. Ayant grandi dans un ranch, elle avait appris beaucoup dans le domaine de la mécanique. Un pneu à plat était un jeu d'enfant. De plus, elle n'était pas en plein milieu de la route, l'auvent du vieux garage la mettait à l'abri du vent et de la neige.

Tandis que son bébé dormait dans son siège-auto, elle se munit du cric et de sa roue de secours et se mit au travail. Changer une roue n'était pas difficile, seulement fastidieux, et dévisser les boulons avec les mains gantées s'avéra malaisé. Elle découvrit rapidement l'origine du problème : un long clou.

Une idée lui traversa l'esprit : peut-être cette crevaison n'était-elle pas accidentelle. C'était peut-être l'œuvre du déséquilibré qui lui avait fait quitter la route dans Glacier Park, puis avait mis le feu à l'écurie du ranch. Elle se raidit et regarda autour d'elle.

Une bourrasque de vent froid balaya la route, soulevant la neige et dégageant les cheveux qui lui barraient le visage. Un frisson de peur courut le long de sa colonne vertébrale tandis que, les yeux plissés, elle scrutait le paysage rude et aride.

Personne.

Elle se persuada qu'elle cédait simplement à la paranoïa, une pensée qui ne la réjouissait guère…

Se protégeant de la pluie, l'intrus inséra une clé dans la serrure à bouton et, avec une étonnante facilité, entra dans l'appartement de Randi McCafferty, situé près du lac Washington.

Le quartier était chic et l'appartement valait une fortune. Bien sûr : la princesse ne pouvait pas se contenter de moins !

A l'intérieur, il y avait du désordre. Ce n'était pas catastrophique, mais certainement pas impeccable. Ces derniers mois, l'endroit avait été laissé à l'abandon. La poussière recouvrait un petit bureau placé au fond du salon, des toiles d'araignées pendaient du haut plafond, et des moutons s'étaient accumulés dans les coins. Des magazines vieux de trois mois s'étalaient sur la table basse, et le maigre contenu du réfrigérateur était périmé depuis des semaines. Des lithographies encadrées et des tableaux égayaient des murs aux tons chauds, et un mélange éclectique de meubles anciens et modernes était dispersé autour des pierres noircies de la cheminée qui contenait encore de vieilles cendres.

Randi n'était pas rentrée chez elle depuis très longtemps.

Mais elle allait revenir.

Sans bruit, l'intrus arpenta les pièces sombres, avança dans un petit couloir qui menait à une grande chambre comprenant une baignoire encastrée, un dressing et un vaste lit. Il y avait une autre baignoire, dans la salle de bains, et une chambre d'enfant, pas encore finie mais prête à accueillir le petit McCafferty. Le bâtard.

De retour dans le salon, il examina un portrait posé sur le bureau, une photographie prise des années auparavant des trois frères McCafferty — de grands et robustes garçons dont le sourire pouvait faire fondre toutes les femmes, et dont le caractère bien trempé les avait entraînés dans trop de bagarres pour pouvoir les compter. Ils posaient à cheval. Devant eux, pieds nus, vêtue d'un short en jean et d'une chemise sans manches, les cheveux nattés, se tenait Randi. La tête inclinée, une main en visière pour protéger ses yeux du soleil, le bras visiblement écorché, elle tenait de l'autre main les rênes des trois chevaux comme si, à l'époque déjà, elle savait qu'elle mènerait ses frères par le bout du nez pour le restant de leur vie.

La garce !

Perturbé, il se détourna de la photo, pressa rapidement la touche « lecture » sur le répondeur, et ressentit de la satisfaction à l'idée d'avoir le contrôle sur la vie de la princesse. Ce fut cependant un sentiment fugace et froid, aussi froid que les cendres dans l'âtre.

Quand l'unique message se fit entendre, résonnant dans la pièce silencieuse, il lui apparut évident qu'une seule chose pourrait tout arranger.

Randi McCafferty devait payer.

Et elle devait payer de sa vie.

2.

Moins de deux heures après son entrevue avec les frères McCafferty, Striker volait en direction de l'ouest à bord d'un avion privé. Le propriétaire de l'avion, un ami, le laissait l'utiliser. Kurt avait pris le temps d'appeler Eric Brown, un collègue qui enquêtait déjà sur le cas de Randi. Ancien militaire, il avait passé quelque temps dans les rangs du FBI avant de se mettre récemment à son compte. Pendant que Striker surveillerait Randi, Brown allait traquer la vérité comme un chien de chasse sur la piste d'un animal blessé. Démasquer le tueur ne serait qu'une question de temps.

Regardant par le hublot les épais nuages, et bercé par le ronronnement des réacteurs, Striker pensait à Randi McCafferty.

Elle était belle. Intelligente. Sexy en diable.

Qui voulait sa mort ?

Et pourquoi ?

A cause de l'enfant ? Non… cela ne tenait pas la route. Le livre qu'elle était en train d'écrire ? Ou alors autre chose, un secret qu'elle aurait caché à ses frères ?

C'était une jeune femme mystérieuse, à la langue acérée, aux yeux de braise, et dont le sens de la repartie tenait même ses trois frères à distance. Certes, Thorne, Matt et Slade auraient pu lui en vouloir. Tous trois devaient se partager la moitié du ranch, alors que Randi, seule fille de John McCafferty, avait hérité de l'autre moitié. Même si certaines personnes à Grand Hope pensaient le contraire, Striker savait que les frères McCafferty étaient honnêtes et que leurs intentions étaient pures. Ne l'avaient-ils pas engagé, lui, uniquement pour sauver la peau de leur sœur bien-aimée ? Non, ils ne figuraient pas sur la liste des suspects.

Tout en mâchonnant un cure-dents, il fronça les sourcils. La plupart des crimes avaient pour mobile la cupidité, la jalousie ou la vengeance. Parfois, les victimes représentaient une menace pour le tueur. Ou alors, un crime était commis pour en cacher un autre.

Alors, pourquoi voulait-on tuer Randi ? A cause de son héritage ? De son fils ? D'une histoire d'amour qui avait mal tourné ? Avait-elle spolié quelqu'un ? En savait-elle trop ? Les différents motifs possibles se bousculaient dans son esprit. Il se frotta la mâchoire.

Deux mystères entouraient Randi. Le premier concernait la père de son fils, un secret très bien gardé. Le second concernait son livre, qu'elle écrivait au moment de son accident.

Ni ses frères ni aucun de ses proches ne savaient qui était le père de son enfant. Le principal intéressé ignorait peut-être même sa paternité… Randi était restée muette sur le sujet. Striker se demandait si elle protégeait le père ou si elle ne voulait pas qu'il soit au courant. Cependant, il ne devrait pas être trop difficile de déterminer qui était le papa du petit Joshua. A l'hôpital, Striker avait pu noter le groupe sanguin de l'enfant, et il était parvenu à lui dérober quelques cheveux… juste au cas où il aurait besoin de croiser des résultats de tests d'ADN.

Dans la vie de Randi, trois hommes avaient compté assez pour être des amants. Toutefois, il n'avait pas encore établi avec certitude qui de ces trois hommes l'avait effectivement été. Peut-être aucun. Son estomac se noua et un élan de jalousie l'étreignit. Ridicule !

Il n'allait tout de même pas s'attacher à Randi McCafferty, même après la nuit dernière ! Bien qu'elle l'ignorât encore, elle était sa cliente, et quand elle l'apprendrait, c'est sûr, elle serait furieuse. Non, Randi McCafferty n'apprécierait pas du tout que ses frères veillent à sa sécurité.

Il posa son doigt sur la vitre froide du hublot en se demandant qui avait réchauffé les nuits de Randi et engendré son fils.

Un goût de bile envahit sa bouche tandis qu'il songeait aux candidats éventuels.

Sam Donahue, l'ex-champion de rodéo, figurait en haut de la liste. Kurt n'avait aucune confiance dans ce cow-boy sauvage, qui collectionnait les femmes comme d'autres les paires de bottes. Sam avait toujours été une fripouille, un type qu'aucun des frères de Randi n'avait jamais pu supporter, un crétin qui traînait déjà deux ex-femmes dans son sillage.

Joe Paterno, quant à lui, était photographe indépendant et travaillait pour le *Seattle Clarion*. Un play-boy de la pire espèce, qui séduisait les femmes avant de les abandonner ! Ses conquêtes se répartissaient sur toute la planète, en particulier dans les milieux politiques, là où il exerçait le plus souvent son métier. Pas le genre à se caser.

Brodie Clanton, enfin, un avocat aux dents longues. Né avec une cuillère en argent fermement plantée dans la bouche, il était le petit-fils du juge Nelson Clanton, l'un des magistrats les plus en vue de Seattle. Brodie avançait dans la vie comme si tout lui était dû, et passait la majeure partie de son temps à défendre de riches clients.

Voilà qui ne constituait pas un trio de choix.

A quoi diable Randi avait-elle pensé ? Aucun de ces hommes ne valait la peine qu'elle leur accorde la moindre attention. Pourtant, elle avait noué des liens avec chacun d'entre eux. Pour quelqu'un qui rédigeait une rubrique destinée aux célibataires, elle affichait un piètre tableau de chasse !

Et toi, Striker ? Où figures-tu dans ce tableau ?

— Bon sang ! maugréa-t-il.

Il ne voulait pas songer à cela maintenant et n'allait pas laisser la nuit dernière obscurcir son jugement. Même s'il parvenait à découvrir qui était le père du bébé, ce ne serait qu'un début. Cela prouverait seulement que Randi avait couché avec l'homme en question et ne signifierait pas pour autant qu'il essayait de la tuer.

N'importe qui pouvait vouloir sa perte. Un collègue jaloux, quelqu'un qu'elle avait lésé, un déséquilibré qui lui vouait un culte morbide, une ancienne rivale, tout était envisageable ! L'appât du gain, la jalousie ou la peur... A ce stade, personne ne pouvait savoir ce qui motivait l'assassin.

Striker fit passer son cure-dents d'un coin à l'autre de sa bouche et écouta les réacteurs changer de vitesse quand l'avion amorça sa descente vers une petite piste aérienne au sud de Tacoma.

La fête ne faisait que commencer.

De grosses gouttes de pluie rebondissaient sur le capot de la jeep de Randi et lessivaient les rues en pente de Seattle sous un ciel gris et lourd.

Elle appuya sur l'accélérateur, prit un virage un peu trop vite et entendit crisser ses pneus malgré l'air de jazz qui s'échappait des haut-parleurs. Le trajet depuis le Montana avait été pénible et elle se sentait fatiguée en arrivant dans la ville où elle avait choisi de vivre. Un début de migraine lui comprimait les tempes, lui rappelant qu'il ne s'était écoulé que quelques mois depuis l'accident qui avait failli lui coûter la vie et l'avait privée de mémoire pendant un moment.

Randi aperçut son reflet dans le rétroviseur. On avait dû lui raser la tête pour l'opérer et, à présent, ses cheveux brun-roux avaient repoussé de presque cinq centimètres. L'espace d'un instant, elle souhaita être à Grand Hope, avec ses demi-frères.

Avec un soupir, elle mit son clignotant, prit un tournant, puis s'arrêta à un feu. Elle ne pouvait pas se cacher éternellement. Il était temps d'agir, de reprendre le cours de sa vie. Une vie qui se trouvait à Seattle, et pas dans le Montana, au ranch, avec ses frères autoritaires.

Une angoisse la saisit cependant. Elle avait relâché sa vigilance au ranch où elle se sentait en sécurité, avec trois frères pour veiller sur elle et sur son bébé.

Il ne fallait plus qu'elle baisse sa garde.

Qu'as-tu donc fait, Randi ? C'est ta faute si ta famille est en danger. Et maintenant, tu as compliqué la situation avec Kurt Striker. Qu'est-ce qui ne va pas chez toi ? La nuit dernière… tu te souviens de la nuit dernière ? Tu l'as surpris en train de t'observer. Tu savais qu'il t'observait. Tu avais senti cette attirance entre vous depuis des semaines, n'est-ce pas ? Est-ce que pour autant, tu t'es rhabillée et tu as filé t'enfermer dans ta chambre comme une femme sensée ? Oh ! que non ! Tu as mis ton bébé au lit puis tu as suivi Striker, tu l'as attrapé et…

Un Klaxon retentit derrière elle ; le feu était passé au vert. Serrant les dents, elle démarra en trombe et refoula les images érotiques de Kurt Striker qui se bousculaient dans sa tête. Elle avait des problèmes autrement plus importants à régler.

Au moins, son fils était en sécurité. En tout cas pour le moment. Il lui manquait déjà terriblement alors qu'elle venait à peine de le déposer dans un endroit sûr, où personne ne pourrait le retrouver. Heureusement, ce n'était que temporaire. Mettre Joshua à l'abri valait mieux pour lui et pour elle, et ce ne serait pas long, se dit-elle pour se réconforter. Quelqu'un avait déjà attenté à sa vie et à celle de ses proches à deux reprises. Elle ne pouvait donc prendre aucun risque avec la vie de son bébé.

S'arrêtant à un nouveau feu rouge, elle observa les gouttes de pluie qui zigzaguaient sur son pare-brise mais son esprit ne voyait que son enfant. Ses yeux bleus éveillés, ses cheveux blond-roux et ses joues roses… Elle se rappela ses petits rires. Il était si innocent, si confiant !

Son cœur se déchira à cette pensée, et elle réprima une soudaine montée de larmes qui lui brûlaient les yeux et menaçaient de couler. Elle n'avait pas le temps de s'abandonner à la moindre faiblesse émotionnelle. Ce n'était pas le moment.

Le feu passa au vert. Randi s'inséra dans la circulation en direction du lac Washington, slalomant entre les voitures, et vérifiant sans cesse dans son rétroviseur que personne ne la suivait.

Tu es vraiment paranoïaque ! railla sa petite voix intérieure, tandis qu'elle empruntait la rue menant à sa résidence.

Le vent froid de janvier secouait les arbres qui bordaient la petite allée. Elle se gara sur sa place réservée et coupa le contact. Elle avait acheté cette jeep pour remplacer celle qui avait été détruite lors de sa sortie de route quelques mois auparavant. Le tueur s'était enfui en emportant le motif de son crime.

Il sera bientôt démasqué, se dit-elle en sortant de la voiture et en saisissant son sac sur la banquette arrière.

Une tâche l'attendait. Une très sérieuse mission. Une dernière fois, elle regarda par-dessus son épaule. Personne ne semblait la suivre et aucun bruit de pas ne se fit entendre quand elle courut jusqu'à sa porte d'entrée, en évitant les flaques qui s'étaient formées sur l'asphalte.

Ressaisis-toi !

Elle monta les deux marches du perron, posa son sac de voyage ainsi que son sac à main sur le muret de la véranda et mit la clé dans la serrure. Lorsqu'elle eut déverrouillé, elle attrapa ses sacs et, d'un coup d'épaule, poussa la porte.

L'appartement sentait le renfermé. Par la porte ouverte du salon, près de la cheminée, elle vit une fougère desséchée dont les frondes s'étaient éparpillées un peu partout sur le parquet en chêne. Le rebord de la fenêtre était gris de poussière.

Ça ne ressemblait pas à son foyer. Enfin, ça n'y ressemblait plus... De toute façon, sans son fils, elle ne se sentirait plus chez elle nulle part.

Elle referma la porte d'entrée d'un coup de pied et avança vers le salon. En voyant une silhouette bouger sur le canapé, elle s'arrêta net.

Une bouffée d'adrénaline monta en elle tandis que son corps se couvrait de chair de poule.

Oh ! mon Dieu ! se dit-elle, affolée, la bouche soudain sèche.

Le tueur l'attendait.

3.

— Eh bien, eh bien…, dit une voix traînante. Regardez-moi qui vient de rentrer à la maison !

Randi reconnut immédiatement cette voix.

Il tendit le bras vers la lampe posée sur la table basse. Quand il l'alluma, elle rencontra le regard intense et soupçonneux de Kurt Striker, le détective privé que ses frères avaient cru bon d'engager.

Elle se hérissa instantanément et la peur fit place à l'indignation.

— Qu'est-ce que tu fiches ici ? lança-t-elle.

— J'attends quelqu'un.

— Qui ça ?

— Toi.

Bon sang ! Comme sa voix nonchalante pouvait être exaspérante ! Tout comme cette assurance qui émanait de lui alors qu'il était étendu sur le canapé en chenille, les doigts fermement enroulés autour d'une bouteille de bière. Avec ses vêtements en jean et ses bottes de cow-boy, il semblait autant à sa place ici qu'un puma dans un concours de beauté pour chats.

— Pourquoi ? demanda-t-elle sèchement en laissant tomber ses bagages sur la console de l'entrée.

Elle n'entra pas dans le salon, pour ne pas trop s'approcher de lui. Il la perturbait, et c'était peu de le dire ! C'était ainsi depuis le premier jour où elle avait posé les yeux sur lui, lors de sa convalescence après son accident.

Striker était un homme franc et viril qui ressemblait aux flics des films hollywoodiens. Ses cheveux indisciplinés striés de mèches blondes lui tombaient sur les yeux et il semblait n'avoir pas touché un rasoir depuis plusieurs jours. Au-dessus de ses joues creusées, ses yeux intelligents étaient surmontés d'épais sourcils et bordés de cils droits. Il portait un jean délavé, une veste Levi's usée jusqu'à la corde et ne se départait pas de son air arrogant.

Allongé sur le dos, il la toisa de la tête aux pieds en détaillant chaque centimètre de sa silhouette.

— Je t'ai posé une question, insista-t-elle.

— J'essaie de te sauver la vie.

— Tu es dans une propriété privée.

— Alors, appelle la police.

— Arrête avec ton air arrogant !

Elle se dirigea vers les fenêtres et ouvrit les stores d'un geste brusque. Dehors, elle aperçut le lac, ses eaux couleur acier brassant l'écume. Le brouillard était trop épais pour distinguer la rive d'en face. Croisant les bras sur sa poitrine, elle se tourna et fit face à Striker.

Il lui sourit. Un sourire éblouissant, sexy, contrebalancé par la moquerie dans ses yeux verts. Randi en eut presque le souffle coupé et, l'espace d'un instant, elle se remémora la douceur de sa peau, la sensation de ses mains posées sur son corps… Oh ! mon Dieu !

S'il n'était pas si insupportable, elle pourrait le trouver séduisant. Intéressant. Et sexy… avec ses longues jambes, ses épaules assez larges pour faire craquer les coutures de sa chemise, son ventre plat… Décidément, c'était un bel homme. Pour qui était en quête d'amant. Or, Randi ne cherchait pas à vivre une aventure ; elle avait bien retenu la leçon. La nuit dernière n'était qu'un faux pas. Qui ne se reproduirait plus.

Qui ne pouvait pas se reproduire !

— Tu sais, dit-il, je pensais justement la même chose. Arrêtons de nous donner des airs et mettons-nous au travail.

— Au travail ? demanda-t-elle, outrée.

Il fallait qu'il sorte de son appartement, et vite. Il avait le don de la perturber et de l'irriter au plus haut point.

— C'est ça. Cessons de discutailler et retroussons nos manches.

— Je ne pense pas que nous ayons quoi que ce soit à faire ensemble.

Il soutint son regard une fraction de seconde et elle sut qu'il pensait à la nuit dernière, tout comme elle. Il s'éclaircit la voix.

— Randi, je crois que nous devrions discuter de ce qui s'est passé hier soir…

— Hier soir ? Pas maintenant, d'accord ? Peut-être même jamais. Oublions ça, c'est tout.

— Tu peux oublier ?

— Je ne sais pas, mais en tout cas, je vais tout faire pour.

Mentalement, il la traita de menteuse.

— Très bien. Si c'est comme ça que tu veux prendre les choses…

— Je t'ai dit que nous n'avons rien à faire ensemble.

— Oh mais si ! Tu pourrais commencer par me dire qui est le père de ton bébé.

Jamais, mon cher ! Aucune chance.

— Je ne pense pas que ce soit pertinent.

— Bien sûr que si, Randi.

Il se leva d'un seul mouvement et se dressa devant elle.

— On a essayé de te tuer à deux reprises ! La première fois, dans l'accident, et le mot est faible, quand ta voiture a quitté la route dans Glacier Park. La deuxième, quand quelqu'un a essayé de se débarrasser de toi à l'hôpital. Tu te souviens de ces « petits incidents », n'est-ce pas ?

Elle déglutit et ne répondit pas.

— Sans oublier le feu qui s'est déclaré dans l'écurie du ranch. Un incendie criminel. Tu te souviens ? Il a failli tuer tes frères.

Le cœur de Randi se serra en se remémorant ce douloureux souvenir. A sa grande surprise, Kurt lui saisit les bras et les serra fort à travers l'étoffe de sa veste.

— Veux-tu vraiment risquer ta vie encore une fois ? Celle de tes frères ? Celle de ton fils ? Il a failli mourir d'une infection à l'hôpital, non ? Tu as dû accoucher prématurément en pleine cambrousse, et le temps qu'une bonne âme te découvre et appelle une ambulance, ton bébé a bien failli y rester !

Randi se sentit chanceler. Si seulement il pouvait cesser de la toucher ! Il était bien trop près ! Elle pouvait sentir son souffle chaud sur son visage, et l'énergie sexuelle et brute qui émanait de lui.

— Je ne bougerai pas d'ici, décida-t-il, tant que toi et moi n'aurons pas éclairci quelques points. Je suis prêt à attendre tout le temps qu'il faudra. Toute la nuit, toute la semaine, ou même toute l'année !

Le cœur de Randi s'emballa. Elle essaya de se dégager, en vain. Il serra les mains encore plus fort.

— Commençons par la question cruciale, tu veux ?

Elle savait ce qui l'attendait, et s'y prépara.

— Parle-moi, Randi, tout de suite ! Cesse d'esquiver. Qui diable est le père de Joshua ?

Oh ! mon Dieu ! Il était bien trop près !

— Lâche-moi ! dit-elle, refusant de céder. Et sors de ma maison.

— Pas question.

— Je vais appeler la police.

— Je t'en prie, fais donc.

Il désigna du menton le téléphone qu'elle n'avait pas utilisé depuis des mois. Couvert de poussière, il se trouvait sur le petit bureau qu'elle avait calé dans un coin du salon.

— Pourquoi ne pas leur raconter tout ce qui t'est arrivé ? suggéra-t-il. Je leur expliquerai pourquoi je suis là.

— Tu n'as pas été invité.

— Tes frères s'inquiètent pour toi.

— Ils ne peuvent pas me contrôler.

Il leva un sourcil dubitatif.

— Ah bon ? Je crois qu'ils ne partagent pas cet avis.

— Et alors ? rétorqua-t-elle en feignant de ne pas être touchée.

En vérité, elle aimait ses trois demi-frères, mais ne pouvait supporter qu'ils s'immiscent dans sa vie. Pas plus qu'elle n'appréciait l'intrusion de Kurt Striker. Il était bien trop viril, cela devait sûrement lui causer des ennuis ; cela lui en causerait à elle aussi. La preuve, la nuit dernière…

— Ecoute, Striker, il s'agit de ma vie. Je peux la gérer toute seule. A présent, voudrais-tu avoir l'obligeance d'ôter tes mains de mes bras ? dit-elle avec une pointe de sarcasme. J'ai beaucoup à faire.

Il la regarda longuement et intensément, au point qu'elle eut l'impression que ses yeux verts la transperçaient. Puis il haussa une épaule et la relâcha.

— Je peux attendre, répondit-il.

— Mais pas ici.

Son sourire était pure malice.

— Est-ce que tu me mets à la porte ?

De nouveau, le cœur de Randi se mit à battre la chamade. Au diable ce Striker !

— Absolument. Va-t'en !

— A condition que tu me fasses visiter la ville.

— Je te demande pardon ?

— Je viens d'arriver. Fais-moi plaisir.

— C'est ça. Pour que tu puisses garder un œil sur moi !

Si seulement le sourire qui s'accrochait aux lèvres de Striker n'était pas aussi sexy !

— Oui, pour ça aussi.

— N'y compte pas. J'ai un million de choses à faire, dit-elle en désignant d'un geste de la main le téléphone posé sur le bureau.

Sur le répondeur, aucun voyant ne clignotait.

— C'est étrange…, murmura-t-elle en regardant Striker, dont elle commençait à croire qu'il était le diable en personne. Attends une minute… Tu as écouté mes messages ? s'exclama-t-elle, furieuse.

— Non, pas du tout.

Elle se dirigea vers le bureau et appuya sur la touche « lecture » du répondeur.

— C'est étrange…, répéta-t-elle en reconnaissant la voix de Sarah Peeples.

« Alors, quand reviens-tu au bureau ? demandait Sarah. C'est tellement ennuyeux, ici, avec tous ces mâles arrogants. Enfin, peut-être pas ennuyeux, mais tu me manques. Appelle-moi, et embrasse Joshua pour moi. »

Le téléphone cliqua quand Sarah raccrocha.

Randi se mordilla la lèvre inférieure. Son esprit fonctionnait à toute vitesse tandis qu'elle gardait le doigt pressé sur le répondeur.

— Tu ne l'avais pas écouté ? demanda-t-elle.

— Non.

— Qui d'autre ?

— Ce n'est pas toi ? dit-il en plissant les yeux.

— Non, ce n'est pas moi.

Randi eut la chair de poule. Si Striker n'avait pas écouté ses messages, alors… qui ? Sa migraine lui martela la tête. Peut-être s'angoissait-elle pour rien ? A sa décharge, il fallait dire qu'elle s'inquiétait pour son bébé. De plus, l'homme qui se trouvait dans son appartement l'exaspérait et il y avait aussi la fatigue du voyage, ajoutée au manque de sommeil de ces dernières quarante-huit heures. Cela suffisait largement à expliquer qu'elle ait les nerfs à vif. Pardessus le marché, le fait que ses frères aient engagé ce détective au charme sauvage ne faisait que compliquer la situation.

— Ecoute, Striker, tu ne peux pas débarquer ici, te servir une bière et faire comme chez toi…

En voyant son expression, elle se rendit compte que c'était exactement ce qu'il avait fait.

— A ce stade, poursuivit-elle, tu as déjà commis une bonne demi-douzaine de délits. Violation de propriété, effraction, vol, et j'en passe. De quoi faire jubiler la police.

— Alors, où est ton fils ? demanda-t-il sans se laisser détourner de son sujet. John Junior. Où est-il ?

Elle savait qu'il poserait cette question.

— Il s'appelle Joshua.

— D'accord. Où est Josh ?

— Quelque part en sécurité.

— Il n'existe aucun endroit sûr.

Elle sentit son estomac se nouer.

— C'est faux ! rétorqua-t-elle.

— Donc, tu as effectivement peur que quelqu'un te traque.

— Je suis une mère. Je ne prends aucun risque en ce qui concerne mon fils.

— Non, seulement en ce qui te concerne.

— Je ne veux pas discuter de ça.

Elle appuya sur une touche et le message se rembobina.

— Est-ce qu'il est avec Nora ?

Randi se crispa. Comment avait-il pu apprendre l'existence de Nora, la cousine de sa mère ? Même ses frères ne la connaissaient pas !

— Ou peut-être chez tante Bonita, la belle-sœur de ta mère ?

Fichtre ! Il avait fait du bon boulot. La tête lui tourna et ses paumes devinrent subitement moites.

— Ça ne te regarde pas, Striker.

— Et ton amie Sharon ? poursuivit-il en croisant les bras. C'est sur elle que je parierais.

Elle se figea sur place. Comment avait-il pu deviner qu'elle laisserait son précieux enfant chez Sharon Okano ? Elle et Sharon ne s'étaient pas vues depuis près de neuf mois, pourtant Striker avait tout deviné.

— Tu ne prendrais pas le risque de le confier à un parent, sinon tu l'aurais laissé dans le Montana. Tes collègues sont exclus parce qu'ils pourraient gaffer. Donc, il fallait une personne de confiance, mais pas trop évidente, pour qu'elle ne soit pas facile à trouver.

Randi sentit l'angoisse lui oppresser le cœur.

Kurt tendit le bras et lui toucha l'épaule. Elle eut un mouvement de recul, comme s'il l'avait brûlée.

— Si j'ai pu deviner où tu l'as caché, alors l'homme qui te poursuit le pourra aussi.

— Comment as-tu trouvé, pour Sharon ? demanda-t-elle. Je ne crois pas à la théorie des heureux hasards.

Kurt alla jusqu'à la table basse et prit sa bière.

— Ce n'était pas compliqué, Randi.

— Mais…

— Même les téléphones mobiles laissent des traces.

— Tu as fouillé dans mon courrier pour trouver ma facture de téléphone ? C'est un délit grave, mais bien sûr, tu t'en moques !

Elle balaya son bureau du regard et comprit qu'il ne pouvait pas avoir fait le tri entre les courriers publicitaires et sa correspondance, puisqu'elle faisait conserver cette dernière à la poste depuis des mois.

— Peu importe comment j'ai obtenu cette information, dit-il. Ce qui compte, c'est que ton fils et toi soyez en sécurité. Tes frères m'ont engagé pour que je veille sur toi et, que tu le veuilles ou non, j'ai bien l'intention de le faire.

Il termina lentement sa bière.

— Tu peux lutter contre moi autant que tu voudras, je suis décidé à être aussi collant que de la glu. Tu peux toujours appeler tes frères pour te plaindre, ils ne changeront pas d'avis. Tu peux t'enfuir, mais je te rattraperai très vite. Si tu appelles la police, tant mieux. Nous irons au fond de cette affaire ; ici et maintenant. Voilà où nous en sommes. Alors, tu peux faciliter les choses pour tout le monde ou tu peux les compliquer, ce qui nous ralentira.

Il posa sa bouteille sur un coin de la table basse et, en se redressant, fixa Randi avec intensité.

— A toi de voir.

— C'est tout vu. Va-t'en !

— Si c'est ce que tu veux. Mais je reviendrai.

Tremblante de colère, elle insista :

— Fiche le camp d'ici !

— Je te donne une heure pour y réfléchir, dit-il en se dirigeant vers la porte. Dans une heure, je serai de retour et, s'il le faut, j'emploierai la manière forte. La décision t'appartient, Randi, mais à mon avis, tu n'as pas beaucoup d'options.

Il sortit de l'appartement et claqua la porte derrière lui. Randi s'empressa de tourner le verrou, marmonna des jurons et réprima l'envie d'aller s'affaler sur le canapé.

Elle prit une profonde inspiration et redressa les épaules. On ne réglait rien en s'effondrant. C'était dur à admettre, mais Kurt Striker avait raison sur un point : elle n'avait pas trente-six solutions. Eh bien, c'était rude ! Cela dit, personne ne la forcerait à faire le mauvais choix.

Il y avait beaucoup trop en jeu.

4.

Kurt s'installa au volant de sa voiture de location, un pick-up couleur bronze. Comme les vitres étaient embuées, il en ouvrit une pour évacuer l'humidité. Puis il mit en marche le dégivreur et regarda les filets d'eau qui ruisselaient sur son pare-brise. Il avait accordé une heure à Randi afin qu'elle réfléchisse. C'était aussi l'occasion pour lui de se relaxer, car il y avait quelque chose chez cette femme qui lui mettait les nerfs à vif.

Depuis le jour de leur rencontre au ranch, il l'avait ressentie, cette tension entre eux, cette attirance inavouée qui couvait dès qu'ils se trouvaient dans la même pièce. C'était vraiment stupide ! Il n'était pas du genre à succomber aux charmes d'une femme, encore moins quand il s'agissait d'une enfant gâtée, la préférée de son père, une petite fille riche à qui tout était offert.

Oh ! Elle était jolie ! Du moins maintenant que les traces de ses blessures avaient disparu et que ses cheveux avaient repoussé. En fait, elle était à tomber, purement et simplement. Malgré sa récente grossesse, elle était mince, avec des seins suffisamment généreux pour attirer l'œil, des hanches rondes et étroites. Avec ses cheveux brun-roux, son petit menton pointu, sa moue boudeuse et ses grands yeux noisette, elle n'avait pas besoin de beaucoup de maquillage. De plus, elle avait l'esprit vif et la langue acérée et lui avait bien fait comprendre qu'elle voulait qu'il la laisse seule. Ce qui vaudrait mieux pour tout le monde, certes, mais quelque chose en elle l'attirait et faisait accélérer ses battements de cœur.

Oublie ça ! C'est ta cliente.

Techniquement parlant, non. Elle ne l'avait pas embauché. Mais ses frères, oui.

Tu dois t'en tenir à une relation strictement professionnelle.

Une relation ? Quelle relation ? Bon sang ! Elle ne pouvait même pas supporter de se trouver dans la même pièce que lui !

Mais oui, bien sûr ! Et la nuit dernière, alors ? Ça ne compte pas ?

Elle avait mis Joshua au lit et était allée à sa recherche après l'avoir surpris en train de l'épier depuis l'escalier. Elle l'avait retrouvé dans le salon plongé dans la pénombre, avec pour seul éclairage le rougeoiement des braises dans l'âtre…

Il s'était servi un verre et le sirotait tranquillement, tout en regardant par la vitre givrée les restes noircis de l'écurie brûlée.

— Tu me reluquais, l'accusa-t-elle.

Il répondit par un hochement de tête, sans se retourner.

— Pourquoi ?

— Je n'en avais pas l'intention.

— Tu parles !

Manifestement, elle n'allait pas le laisser s'en tirer aussi facilement ! Soit. Il avala une autre gorgée de son verre avant de lui faire face.

— Que faisais-tu dans l'escalier ?

— Je croyais avoir entendu quelqu'un, alors je suis venu vérifier.

— Il y avait en effet quelqu'un : moi. Cette maison est pleine de gens, tu sais.

Elle était si furieuse qu'il pouvait sentir son énervement. Il remarqua qu'elle n'avait pas boutonné sa chemise de nuit et agissait comme si elle ignorait que l'on pouvait voir sa poitrine.

— Veux-tu que je m'explique, oui ou non ? demanda-t-il.

— Oui. Essaie donc.

Elle avait croisé les bras sous ses seins, les soulevant involontairement et agrandissant le sillon entre eux. Il continua à la regarder dans les yeux.

— Comme je te l'ai dit, j'ai entendu quelque chose. Un bruit de pas. J'avais simplement l'intention d'aller voir dans le couloir. Le temps que j'arrive, tu étais là.

— Et la suite, je la connais.

Les sourcils arqués, elle pressa fermement ses lèvres l'une contre l'autre.

— Tu t'es rincé l'œil ?

— Plutôt, oui.

— Tu as apprécié ce que tu as vu ?

Il ne put s'empêcher d'esquisser un petit sourire.

— Ça allait.

— Je te demande pardon ?

— J'ai vu mieux.

— Oh ! Pour l'amour du ciel ! bredouilla-t-elle.

Malgré la faible lumière de la pièce, il distingua une rougeur sur ses joues.

— A quoi t'attendais-tu, Randi ? Tu m'as surpris en train de te regarder, soit. Je n'en avais pas l'intention, mais tu étais là, et ça a été plus fort que moi. J'imagine que j'aurais pu me racler la gorge et descendre l'escalier, mais j'ai été… fasciné.

Il cessa de sourire et avala une autre longue gorgée d'alcool.

— Nous sommes tous deux des adultes. Si on oubliait toute cette histoire ? proposa-t-il.

— C'est facile, pour toi !

— Pas tant que ça.

Elle le regarda, les yeux plissés.

— Qu'est-ce que je suis censée comprendre ?

— Que tu es plutôt inoubliable.

— Mais oui, bien sûr !

Elle passa une main dans ses cheveux et, par ce geste, fit involontairement glisser sa chemise de nuit, ce qui donna l'occasion à Kurt de voir encore davantage ses seins et son ventre. Soudain, comme si enfin elle sentait la brise sur sa peau, elle retint son souffle et baissa les yeux.

— Oh ! Magnifique ! s'exclama-t-elle avant de se reboutonner maladroitement. Je suis là, en train de pester et de m'emballer, je me donne en spectacle et…

— Ce n'est pas grave, dit-il. Tout à l'heure, j'ai menti. Je n'ai jamais vu mieux.

Elle secoua la tête et rit.

— Tout ceci est ridicule !

— Je t'offre un verre ?

— De la liqueur de mon père ? Non. Je… je pourrais commettre un acte que je regretterais.

— Tu crois ?

Elle soupira, le regarda un instant et opina.

— Oui, je pense…

Il savait qu'il aurait dû s'arrêter là, tant qu'il avait encore une chance de garder le contrôle de la situation, au lieu de quoi il termina son verre d'une traite.

— Peut-être que les regrets sont un peu surfaits…, murmura-t-il en posant son verre sur une chaise avant de s'approcher de Randi.

Il remarqua le battement rapide qui soulevait la douce peau de son cou, et sut alors qu'elle était aussi effrayée que lui.

Cela faisait très longtemps qu'il n'avait pas embrassé une femme, et il rêvait d'embrasser Randi McCafferty depuis des semaines ! Il la prit dans ses bras et quand un souffle s'échappa de ses lèvres, il posa sa bouche sur la sienne et sentit le désir monter en lui. Instinctivement, elle posa les mains sur ses épaules et se pressa contre son corps.

Sa conscience lui disait que c'était une erreur, mais il l'ignora. Il glissa sa langue dans la bouche de Randi, et son sexe se dressa dans son pantalon. Randi était chaude et sentait bon le café. Il écarta les doigts le long de son dos et, tandis qu'elle gémissait contre son torse, commença à soulever doucement sa chemise de nuit, froissant la douce flanelle entre ses doigts quand l'ourlet remonta sur ses mollets puis ses cuisses. Cela lui sembla la chose la plus naturelle au monde de les entraîner tous les deux jusqu'au tapis posé devant la cheminée…

Maintenant, assis dans son pick-up avec la pluie qui dégoulinait sur son pare-brise, Striker se renfrogna en songeant à ce qu'il avait fait. Il savait bien, pourtant, qu'il n'aurait pas dû l'embrasser. Il avait pressenti que ce baiser les mènerait bien plus loin. Or, il n'avait nul besoin des complications qu'une femme pourrait lui apporter.

Il risqua un regard vers l'annulaire de sa main gauche, où il pouvait encore distinguer la profonde marque qu'une alliance y avait laissée, telle une cicatrice. Sa nuque se contracta et quelques idées noires lui traversèrent l'esprit. Des souvenirs… une autre belle femme et une petite fille…

Contrarié par la tournure que prenaient ses pensées, il reporta son attention sur l'appartement de Randi. La copropriété se trouvait sur le flanc d'une colline surplombant le lac Washington. Il s'était garé à un endroit de la rue d'où il pouvait voir sa porte d'entrée, la seule sortie possible, sauf si Randi décidait de s'enfuir par une fenêtre. Et, même dans ce cas, il la verrait prendre sa jeep. A moins qu'elle ne parte à pied, il pourrait la suivre.

Il jeta un coup d'œil à sa montre. Randi disposait encore de quarante-cinq minutes pour se calmer et reprendre ses esprits. Tout comme lui. S'adossant à son siège, il attrapa une mallette au cuir râpé et en sortit le dossier McCafferty. Tout en gardant un œil sur l'appartement, il feuilleta les pages remplies de notes, de photos et d'articles provenant du *Seattle Clarion*. Le nom de Randi figurait en en-tête, accompagné d'une photo.

« Solo » par Randi McCafferty.

Il s'agissait d'une rubrique destinée aux personnes seules, déclarant ne pas être mariées, que ce soit par choix, que ce sit suite à un récent divorce, un veuvage, ou tout autre cas de figure. Striker relut quelques-uns de ses passages favoris. Dans l'un d'entre eux, elle recommandait à une mère célibataire trop protectrice de laisser sa fille adolescente respirer, tout en étant là pour elle. Ou encore, elle suggérait à un veuf de s'inscrire à un groupe de soutien et de se mettre à la danse de salon, ce que lui et sa défunte épouse avaient toujours rêvé de faire.

Ses réponses étaient souvent pleines de compassion, mais aussi, parfois, caustiques. Par exemple, à une femme qui ne pouvait choisir entre deux hommes et mentait aux deux, elle conseillait de « cesser les enfantillages ». A un jeune homme qui se plaignait que sa petite amie lui volait sa place dans le lit lorsqu'elle dormait chez lui, elle disait d'« arrêter ses jérémiades ». Dans chacun de ses conseils, Randi ajoutait une note d'humour. Pas étonnant que sa rubrique ait été reprise dans plusieurs autres journaux locaux du pays !

Pourtant, la rumeur courait que Randi et son rédacteur en chef étaient en froid. Striker n'avait pas encore découvert pour quelle raison, mais cela viendrait.

Elle avait également rédigé des articles pour des magazines, sous le pseudonyme de R.J. McKay. Et puis, il y avait ce livre inachevé qui devait dévoiler les coulisses du milieu du rodéo, et dont elle ne parlait guère. Il se passait bien des choses dans la vie de Mlle McCafferty. Oui, bien des choses..., songea-t-il en fixant la porte de son appartement. C'était une femme intéressante et, de bien des façons, peu ordinaire.

Diable ! Elles étaient toutes ainsi, non ? Il fronça les sourcils en direction des gouttes de pluie zigzaguant sur son pare-brise.

Ses pensées se mirent à cheminer dans le territoire interdit de son passé, une époque qui lui semblait très lointaine. C'était avant qu'il ne devienne blasé, avant qu'il ne croie plus à la gent féminine. Ni au mariage, ni à la vie… Une période dans laquelle il ne tenait pas à se replonger.

Jamais.

— Est-ce qu'il va bien ? demanda Randi, l'oreille collée à son téléphone portable.

Elle avait les mains moites, le cœur battant de peur. Appeler son amie était le seul moyen qu'elle avait trouvé pour tenter de refréner le sentiment de panique qui l'envahissait. Malgré sa bravade et son calme de façade, elle tremblait de frayeur. Les avertissements de Striker avaient mis ses nerfs à vif et maintenant, son téléphone dans une main et les yeux rivés vers le parking où il avait garé son pick-up, elle sentait son cœur battre à tout rompre.

— Cela fait à peine une heure que tu l'as déposé, la rassura Sharon. Joshua va très bien. Je lui ai donné son repas, je l'ai changé, et maintenant, il dort comme un… eh bien, comme un bébé !

Randi laissa échapper un soupir et passa une main tremblante sur sa lèvre inférieure.

— Bien.

— Détends-toi, Randi. Je sais que tu es une jeune mère, avec tout ce que ça implique, mais crois-moi : quels que soient tes problèmes, cela ne t'aidera pas de t'angoisser ainsi. Ce n'est bon ni pour toi ni pour ton fils. Alors, prends une tisane et détends-toi.

— Si seulement je le pouvais…, répondit Randi à peine soulagée.

— Fais-le ! Suis tes propres conseils. Tu dis toujours à tes lecteurs de prendre du recul, de respirer un bon coup et de réexaminer leur situation. Tu es toujours abonnée au club de gym, non ? Va donc prendre un cours de yoga, ou bien de boxe.

— Tu crois que ça marcherait ?

— En tout cas, ça ne te fera pas de mal.

— Tant que je sais que Joshua est en sécurité…

— Et entre de bonnes mains. Je te le promets. Je sais que tu n'as pas envie d'entendre ça, dit Sharon en soupirant, mais tu devrais songer à sortir. Je veux dire, avec un homme.

— J'en doute.

— Tu as vécu une mauvaise expérience mais ça ne signifie pas que tous les hommes sont des crétins !

— J'ai eu plus d'une mauvaise expérience.

— Eh bien, ça ne te tuerait pas de laisser une chance à l'amour.

— Je n'en suis pas si sûre… Quand Cupidon sort ses flèches et son arc pour moi, je peux t'assurer que ce sont des flèches empoisonnées.

— Ce n'est pas ce que tu dis aux lecteurs qui t'écrivent.

— Parce qu'avec eux, je suis objective.

Randi observait toujours le véhicule de Striker, qui n'avait pas bougé. Le détective était toujours assis derrière le volant. Elle distinguait des mouvements, mais ne pouvait voir son visage. Pourtant, elle sentait qu'il surveillait son appartement et ne le quittait pas des yeux.

— Ecoute, dit-elle, demain je serai occupée, mais si tu as besoin de me joindre pour quoi que ce soit, appelle-moi sur mon portable.

— Je n'y manquerai pas. Maintenant, cesse de te faire du mauvais sang.

Aucune chance, songea Randi en raccrochant.

Depuis la naissance de son fils, elle n'avait fait que s'inquiéter. Elle était pire que ses demi-frères, ce qui était plutôt mauvais signe.

Thorne, l'aîné, était indiscutablement un macho arrogant, mais il s'était récemment marié avec Nicole, et avait fondé une famille avec elle et les jumelles, Molly et Mindy. Et puis, il y avait Matt, ex-cavalier de rodéo, sérieux. Il avait vécu seul en Idaho, jusqu'à ce qu'il tombe amoureux de Kelly, qui était maintenant son épouse. Et enfin, Slade, le rebelle qui avait grandi sans se soucier de rien ni personne. Du jour au lendemain, il s'était mis en tête de faire de la sécurité de sa sœur et de son bébé une affaire personnelle.

Il y a encore quelques mois, Randi aurait ri devant l'inquiétude de ses frères, mais c'était avant l'accident. Elle en gardait peu de souvenirs, Dieu merci, seulement maintenant, il lui fallait découvrir qui avait voulu lui faire du mal. Peut-être pourrait-elle accepter l'aide de Striker ? Elle craignait toutefois qu'en se confiant à lui, elle ne fasse qu'augmenter le danger qui pesait sur son bébé. Or, c'était là un risque qu'elle n'était pas prête à prendre, même pour rassurer ses frères.

Les sourcils froncés, elle se remémora le mariage de Matt et Kelly, et la réception qui avait suivi. Malgré le vent froid d'hiver et malgré les restes carbonisés de l'écurie, souvenir bien réel du danger qu'elle avait apporté sur la famille, les convives avaient dansé et ri. Ce jour-là, Kelly rayonnait dans sa magnifique robe de mariée, Matt, en smoking, était éblouissant. Même Slade, blessé dans l'incendie, avait abandonné ses béquilles pour danser avec Jamie Parsons, avant de disparaître avec elle dans la nuit enneigée. Randi s'était fait la promesse d'éloigner le danger de ses frères et de mener l'enquête elle-même.

Deux jours plus tard, Slade et Jamie étaient rentrés, essoufflés et… mariés. Randi avait alors annoncé son départ pour Seattle.

— Tu es folle ? s'était exclamé Matt.

Il avait tapé son Stetson contre sa cuisse et de la buée s'était échappée de sa bouche. Les quatre enfants McCafferty s'étaient réunis devant l'écurie calcinée.

— C'est de l'inconscience ! avait commenté Thorne en la regardant de haut, comme si les tactiques qu'il utilisait dans une salle de conseil pouvaient fonctionner avec elle. Tu ne peux pas partir.

— Ça, c'est ce que tu crois ! avait-elle rétorqué en lui rendant son regard sévère.

Même Slade, le rebelle et son plus fervent défenseur, s'était retourné contre elle. Ses béquilles fermement enfoncées dans la neige, il avait déclaré :

— Ne fais pas ça, Randi. Laisse John Junior avec nous. Ici, nous pouvons t'aider.

— Mais je dois partir, il le faut ! avait-elle insisté.

Elle avait aperçu Striker dans l'ombre, qui ne la quittait pas des yeux.

— Je ne peux pas rester, avait-elle expliqué. C'est trop dangereux. Combien d'accidents se sont produits ici, à cause de moi ? Vraiment, il vaut mieux que je m'en aille.

Ses frères avaient protesté, mais Striker était resté muet, se contentant de prendre des notes.

Jusqu'à la nuit dernière, durant laquelle il avait perdu le contrôle de la situation.

Alors, elle était partie, et il l'avait suivie à Seattle. A présent, elle commençait à comprendre qu'il lui faudrait un sacré bout de temps pour arriver à se débarrasser de lui. Pourquoi diable ses frères l'avaient-ils engagé ?

— Qu'est-ce qui te fait penser que tu seras plus en sécurité à Seattle qu'à Grand Hope ? avait demandé Thorne tandis qu'elle faisait ses bagages dans la chambre aux murs lambrissés qui l'avait vue grandir. Tu n'es pas encore totalement remise de ton accident. Si tu restais avec nous, nous pourrions tous prendre soin de toi. Et John Junior, euh, Joshua, pourrait jouer avec Molly et Mindy quand il sera un peu plus grand.

Randi avait eu le cœur déchiré. Elle avait regardé Molly, l'effrontée, et Mindy qui se cachait derrière la jambe de Thorne, en sachant qu'elle ne pourrait pas rester. Elle avait beaucoup à faire. Une vie à mener. Et si elle restait plus longtemps, elle ne ferait que s'empêtrer davantage dans sa relation avec Striker.

— Tout ira bien, avait-elle assuré en fermant son sac et en prenant son bébé dans les bras. Je ne ferai jamais rien qui puisse mettre Joshua en danger.

En descendant l'escalier, elle avait entendu les jumelles demander où elle allait, et surpris Juanita, la bonne, se signant sur sa large poitrine et murmurant une prière en espagnol.

Comme si elle pouvait entraîner son fils dans la gueule du loup ! Sa famille ne comprenait-elle pas que, pour que tout le monde soit à l'abri, elle devait retourner à son ancienne vie et découvrir pourquoi quelqu'un lui voulait du mal ?

A toi et à Joshua. N'oublie pas ton précieux fils. Qui que ce soit, c'est une personne qui ne plaisante pas et qui est désespérée.

Elle remarqua que Striker était toujours assis dans son pick-up, à attendre. Qu'il aille au diable ! Elle referma les stores prestement, puis passa en revue la chambre d'enfant. Le parquet en chêne était recouvert de poussière. Le petit lit à barreaux se trouvait dans un coin, et une bibliothèque attendait encore dans son carton, car il fallait la « monter soi-même », et que Randi n'en avait pas eu le temps.

Parce que tu étais à l'hôpital.

Parce que tu as failli mourir.

Parce que quelqu'un est décidé à te tuer.

Parce qu'il se peut que tes frères aient raison.

Oui, peut-être que tu devrais faire confiance à Kurt Striker…

De nouveau, elle se remémora la nuit passée. Lui faire confiance ? A lui ? Et à elle-même ?

Quel autre choix s'offrait à elle ?

Elle devait bien l'admettre, Striker avait raison. S'il avait pu deviner où elle avait caché Joshua, alors le tueur le pourrait aussi. A cette pensée, son estomac se tordit d'angoisse. Qui pouvait bien vouloir du mal à un enfant innocent ? Et pourquoi ?

Il ne s'agit pas de Joshua, Randi. Il s'agit de toi. Quelqu'un veut ta mort. Tant que le bébé n'est pas avec toi, il est en sécurité.

En se raccrochant à cette idée, elle entreprit de remettre de l'ordre dans sa vie. Elle commença par se préparer une tasse de café instantané puis appela le *Clarion*. Son rédacteur en chef étant absent, elle laissa un message sur sa boîte vocale. Puis elle vérifia ses mails, déballa rapidement ses affaires et revêtit un sweat-shirt et un jean propres ainsi qu'une paire de bottes. Elle enroula une écharpe autour de son cou et se coiffa du bout des doigts. En se regardant dans le miroir du vestibule, elle eut un mouvement de recul. Elle avait tant maigri, ces cinq derniers mois ! A tel point qu'elle était maintenant plus mince qu'avant sa grossesse. Quant à sa coiffure, elle n'arrivait toujours pas à s'y habituer. Elle avait toujours porté les cheveux longs, mais on lui avait rasé la tête avant une opération vitale pour réduire un hématome dans son cerveau. Bien qu'elle soit allée chez le coiffeur pour arranger les choses avant de quitter le Montana, elle avait du mal à mettre ses cheveux en forme. Avec un soupir, elle alla dans la salle de bains, dénicha un vieux tube de gel coiffant et en appliqua une noisette sur ses cheveux. Le résultat la faisait ressembler à un hérisson, mais c'était ce qu'elle pouvait faire de mieux.

Elle se rinçait les mains quand la sonnette retentit à plusieurs reprises. Nul besoin de s'interroger : un rapide coup d'œil à sa montre lui indiqua que Striker était parti depuis une heure et cinq minutes.

Apparemment, il était ponctuel, mais il ne saisissait pas les messages clairs.

— Génial ! marmonna-t-elle en s'essuyant les mains avant de se hâter vers la porte d'entrée.

Comme si elle avait besoin qu'on la suive, qu'on la dérange, ou qu'on se mette en travers de sa route ! Elle était d'un naturel solitaire et détestait qu'on se mêle de ses affaires, pour quelque motif que ce soit. Retenant sa colère, elle ouvrit grand la porte.

Kurt Striker, un mètre quatre-vingt-cinq de détermination toute virile, se tenait sur le seuil. Ses cheveux clairs avaient foncé sous l'effet de la pluie, et son regard vert était dur. Vêtu d'un antique blouson d'aviateur et d'un jean plus vieux encore, il était diablement sexy et, à en juger par son expression, aussi peu satisfait de se trouver sur son perron qu'elle de l'y voir.

— A quoi bon sonner ? pesta-t-elle, décidée à ne pas dissimuler son irritation. Je croyais que tu avais une clé, ou un passe-partout, ou je ne sais quoi. Je peux remercier mes frères !

— Ils ne font que veiller sur toi…

— Ils feraient mieux de s'occuper de leurs affaires.

— … et sur ton enfant.

— Je sais.

Sans attendre, Randi se dirigea vers le salon. Striker lui emboîta le pas. Elle entendit la porte claquer derrière lui. Il tourna le verrou et la rejoignit.

— Ecoute, dit-il en s'arrêtant devant le placard pour y prendre l'imperméable de Randi, si moi je peux entrer chez toi, alors…

— Oui, oui, j'y ai déjà pensé.

Elle enfila l'imperméable que Striker lui présentait puis se retourna vers lui.

— Je ferai changer les serrures, d'accord ? Je ferai mettre un verrou à trois points.

— Ainsi qu'un système d'alarme. Et achète-toi un chien de garde.

— Hé ! J'ai un bébé, tu te souviens ?

Elle prit son sac à main sur le canapé puis son ordinateur portable qu'elle glissa dans sa mallette.

— Je ne pense pas qu'un chien d'attaque soit une bonne idée, dit-elle.

— Pas un chien d'attaque, un chien de garde. Ça fait une grosse différence.

— Si tu le dis… Maintenant, si tu veux bien m'excuser, je dois aller au bureau.

Elle anticipa ce qu'il allait dire.

— Ecoute, ce n'est pas une bonne idée de me suivre, tu sais. J'ai déjà assez d'ennuis comme ça avec mon patron.

Sans attendre sa réponse, elle se dirigea vers la porte. Elle l'ouvrit et, d'un regard, invita Striker à sortir.

Il afficha une pâle imitation de sourire.

— Tu ne te débarrasseras pas de moi si facilement, affirma-t-il.

— Pourquoi ? A cause de l'argent ? demanda-t-elle, surprise que cette idée puisse la perturber. Tout tourne autour de ça, non ? Mes frères t'ont payé pour me surveiller ? Tu es censé être mon… Mon garde du corps ? Dis-moi que Thorne, Matt et Slade ne sont pas assez vieux jeu, assez dominateurs, assez stupides pour penser que j'ai besoin d'un garde du corps personnel ! Oh non ! C'est ça ?

Si elle n'avait pas été aussi folle de rage, elle aurait pu trouver la situation amusante.

— Il faut en finir avec cette histoire ! dit-elle. J'ai besoin d'être seule. J'ai besoin d'espace et de…

Striker leva brusquement les mains et lui prit les poignets.

— Ce dont tu as besoin, c'est d'être moins égoïste, finit-il pour elle.

Il était si près qu'elle pouvait sentir son souffle chaud lui caresser le visage.

— Nous en avons déjà parlé, poursuivit-il. Cesse donc de songer à ta fichue indépendance et pense à ton fils ! Et à toi.

Il relâcha ses mains aussi vite qu'il les avait prises.

— Allons-y ! ordonna-t-il. Je ne me mettrai pas en travers de ta route.

Il lui lança par-dessus l'épaule un sourire si narquois qu'elle en eut le souffle coupé.

— Je te le jure, dit-il.

5.

— Si tu crois que tu vas monter dans ma voiture, n'y pense même pas ! le prévint-elle.

En relevant la capuche de son imper sur ses cheveux, elle courut vers sa jeep. La pluie s'était muée en une fine bruine, accompagnée d'un brouillard qui rendait la visibilité quasi nulle. La nuit tombait et le ciel était chargé de nuages sombres.

— Ça rendrait les choses beaucoup plus faciles, dit Striker.

De toute évidence, il ne comprenait rien à rien, songea-t-elle. Le col remonté, il la suivit jusqu'à sa voiture.

— Faciles pour qui ?

Randi lui décocha un regard furibond et actionna la télécommande pour déverrouiller les portières. La jeep émit un bip et les lumières intérieures clignotèrent.

— Pour tous les deux, affirma-t-il.

— J'en doute.

Elle grimpa dans sa voiture et verrouilla immédiatement les portières. Striker resta immobile. Il se tint simplement là, à côté de la jeep. Comme si elle allait changer d'avis ! Elle mit le contact et enleva sa capuche. Puis, laissant Striker sous la pluie, elle quitta sa place de parking, engagea la jeep sur la route et sortit de la propriété.

Dans le rétroviseur, Randi le vit courir vers son pick-up puis elle reporta son attention devant elle et se mêla aux voitures se dirigeant vers le centre-ville. Elle ne put toutefois s'empêcher de jeter des coups d'œil rapides dans ses rétroviseurs pour voir s'il la suivait.

Non qu'elle en doutât une seconde, mais elle ne voyait pas son pick-up. Elle se reprit. Pas question de laisser ses pensées dériver vers cet homme, même si elle s'était comportée comme une idiote la nuit dernière.

Elle l'avait laissé l'embrasser, lui enlever sa chemise de nuit, puis avait senti ses lèvres, chaudes et déterminées, au creux de son cou, sur la courbe de son épaule... Elle n'aurait pas dû se laisser faire, elle savait que c'était une erreur, mais son corps l'avait trahie. Quand ses doigts virils avaient effleuré ses côtes et que son visage mal rasé s'était frotté contre sa peau, elle s'était abandonnée pour répondre fébrilement à son baiser.

Randi avait été surprise par la force de son désir, par la passion avec laquelle elle l'avait embrassé. Et que dire de la précipitation avec laquelle elle avait repoussé ses vêtements et glissé ses doigts le long de ses épaules larges et puissantes avant d'enfoncer les mains dans son épaisse chevelure blonde ?

Les braises luisantes de la cheminée baignaient la pièce d'une chaude lumière orangée. Le cœur battant et le souffle court, Randi avait senti le désir naître au plus profond d'elle-même. Elle avait voulu que Striker la touche, avait frissonné tandis qu'il effleurait les pointes de ses seins de la langue. En sentant son souffle chaud sur son ventre et ses jambes, elle s'était mordu la lèvre inférieure. Elle s'était ouverte à lui sans résistance ; son esprit s'était totalement abandonné et elle l'avait désiré... Elle l'avait désiré comme aucun autre homme avant lui.

Une pure folie... Lorsqu'il avait posé la bouche au creux de ses cuisses puis collé son corps contre le sien, elle avait perdu tout contrôle. Et toute raison...

Randi manqua presque sa sortie tandis qu'elle pensait à Striker et à la magie de ces instants, à cette nuit d'amour qui avait causé sa fuite le lendemain matin, avant l'aube. Comme si elle avait eu honte.

Elle quitta l'autoroute et emprunta les rues en pente qui longeaient l'océan. Entre les longs immeubles détrempés par la pluie, on apercevait Eliot Bay, dont les eaux étaient agitées et sombres, à l'image de ses pensées. Elle gara sa jeep sur le parking réservé aux employés du journal, attrapa son ordinateur et se prépara à reprendre la vie qu'elle avait quittée des mois plus tôt.

Les locaux du *Seattle Clarion* se trouvaient au cinquième étage d'un ancien hôtel. Le bâtiment centenaire, qui arborait une façade en brique rouge, avait été rénové puis divisé en bureaux.

Une fois à l'intérieur, Randi s'engouffra dans l'ascenseur qui s'éleva lentement. L'antique engin s'arrêta deux fois avant d'atteindre le cinquième étage. Les portes s'ouvrirent enfin sur un petit couloir menant aux portes vitrées des bureaux du journal.

Shawn, la réceptionniste, leva les yeux et tomba presque à la renverse en voyant Randi.

— Randi ! Mon Dieu, mais regardez-moi ça ! s'exclama-t-elle.

Elle ôta prestement son micro casque, se leva, contourna son bureau et serra Randi dans ses bras jusqu'à l'étouffer.

— Qu'est-ce qui a bien pu te passer par la tête ? Tu aurais pu appeler ! J'étais morte d'inquiétude ! J'ai appris pour l'accident et…

Elle recula et tint Randi à bout de bras.

— Et où donc est ton bébé ? Comment oses-tu venir ici sans lui ? s'étonna-t-elle.

Penchant la tête, elle ajouta :

— Ta coiffure est correcte, mais tu as perdu trop de poids.

— Je vais y remédier.

— Bon, et ton bébé, alors ?

Shawn leva les yeux au ciel quand le téléphone se mit à sonner.

— Oh zut ! Il faut que je réponde, mais repasse par ici tout à l'heure. Je veux que tu me racontes tout ce qui t'est arrivé.

Elle retourna à son bureau et s'installa avec souplesse sur sa chaise. Tenant son micro casque contre son oreille, elle annonça :

— *Seattle Clarion*, quel service désirez-vous ?

Randi s'éloigna du bureau d'accueil pour rejoindre les box de ses collègues. Le sien se trouvait dans un coin au service des nouvelles, juste derrière la cloison vitrée séparant les journalistes des employés du marketing. Durant son absence, les murs avaient été repeints. Le blanc uniforme avait laissé place à différentes teintes. Du mauve clair ici, du vert cendré là, de l'or ou de l'orangé…

Elle passa devant quelques journalistes qui mettaient la dernière main à leur papier avant l'heure limite du bouclage. La plupart des employés étaient déjà rentrés chez eux. Les reporters de nuit commençaient à arriver et l'équipe de l'impression avait encore quelques heures devant elle avant de se mettre au travail. Dans l'ensemble, c'était plutôt calme.

Surprise de constater que tout était resté tel qu'elle l'avait laissé, Randi s'installa à son bureau. Personne ne s'était approprié le petit box ; cela faisait pourtant des mois qu'elle n'avait pas remis les pieds à Seattle. A la fin de l'été dernier, elle avait planifié son congé maternité avec son chef et créé des rubriques d'avance afin de pouvoir consacrer du temps à son bébé et d'achever le livre qu'elle avait commencé. Entre ces nouveaux articles et les extraits qu'elle avait puisés dans ses anciens articles, presque des antiquités mais ses préférés, il y avait eu assez de matière pour que « Solo » continue à paraître deux fois par semaine, comme à l'accoutumée.

Maintenant, il était temps de s'atteler à de nouvelles questions. Elle passa les deux heures suivantes à lire le courrier qui s'était entassé dans sa boîte aux lettres et à trier les mails qu'elle n'avait pas ouverts dans le Montana.

A un moment donné, elle se demanda si Kurt Striker l'avait suivie, si, à cet instant même, il bavardait avec Shawn à la réception. Cette idée la fit sourire : Striker n'était pas du genre baratineur, loin s'en fallait ! La plupart du temps, il ne desserrait pas les dents. Il ne parlait jamais de son passé. Elle devinait qu'à un moment de sa vie, il avait dû être policier. Pourquoi il ne l'était plus, elle l'ignorait mais elle le découvrirait. Il y avait des avantages à travailler pour un journal, et l'un d'entre eux était l'accès à des mines d'informations. Si Striker n'était pas disposé à parler, elle mènerait sa propre enquête. Ce ne serait d'ailleurs pas la première fois.

— Hé ! Randi !

Sarah Peeples, critique de cinéma au *Clarion*, se précipitait vers le bureau de Randi. La rubrique de Sarah, « Mise en scène », qui paraissait chaque vendredi, était présentée comme « branchée et tendance ».

Grande et ronde, avec une crinière de cheveux blonds et bouclés, un penchant pour les bottines hors de prix et les bijoux de pacotille, Sarah passait des heures à visionner des films, que ce soit dans les salles obscures, en DVD ou en cassette. Elle ne vivait que pour le cinéma, les vedettes, et tout ce qui se rapportait à Hollywood.

Aujourd'hui, elle portait un collier qu'on aurait dit fait pour un rottweiller ou une dominatrice, des bottines à bouts pointus parsemées de clous argentés, un pull gris échancré et une jupe noire qui s'ouvrait par devant, juste assez fendue pour montrer un bout de cuisse.

— Je commençais à croire que je ne te reverrais plus jamais !

— On ne peut pas m'abattre, plaisanta Randi.
— A la bonne heure. Mais où diable étais-tu passée ?
— Dans le Montana, avec mes frères.
— Tu as une nouvelle coupe de cheveux.
— Par nécessité, pas pour suivre la mode.
— Mais ça te va bien. C'est court et chic, dit-elle en hochant la tête comme pour s'approuver elle-même. Et tu es superbe. Comment se porte ton bébé ?
— A merveille.
— Et quand pourrais-je faire sa connaissance ?
— Bientôt, se déroba Randi.
Moins elle parlerait de Joshua, mieux cela vaudrait.
— Comment ça va, ici ? demanda-t-elle.
Sarah ouvrit de grands yeux et se hissa sur le bureau de Randi.
— Toujours pareil. Je me suis démenée comme une folle, enfin si l'on peut dire, pour faire une nouvelle critique de tous les films qui ont obtenu un oscar.
— Ça a l'air épuisant, dit Randi d'une voix traînante.
— Je te l'accorde, il y a pire, mais c'est tout de même du boulot.
— Est-ce que quelque chose d'étrange s'est produit ici ?
— Qu'est-ce que tu veux dire ? Tous ceux qui travaillent ici sont un peu étranges, non ?
— J'imagine que tu as raison…
Sarah prit un presse-papiers de verre et le retourna sous tous les angles.
— Bon, quand nous amèneras-tu le bébé pour nous le présenter ?
— Quand les choses se seront calmées.
Randi songea à se confier à Sarah, mais se ravisa.
— Lui et moi avons besoin de temps pour nous installer, déclara-t-elle.

— Mmm. Tu as des photos ?

— J'en ai des tonnes chez moi, mais je ne les ai pas encore classées. Je les apporterai la prochaine fois, c'est promis, dit-elle en s'adossant à sa chaise. Alors, raconte-moi un peu. Quoi de neuf ici ?

Sarah n'était que trop heureuse de bavarder. Elle lui raconta tout : la politique du journal, les changements à la direction, les ragots de toute sorte. En retour, elle voulut tout savoir sur la vie de Randi dans le Montana, à commencer par l'accident. Enfin, elle annonça :

— Paterno est de retour en ville.

Randi sentit les muscles de sa nuque se crisper.

— Ah bon ?

Quarante-cinq ans, deux fois divorcé, le photographe indépendant au visage de mauvais garçon, aux cheveux grisonnants et au sens de l'humour aiguisé, avait fréquenté Randi quelques années auparavant. Cela n'avait pas duré entre eux pour un tas de raisons, la principale étant que ni l'un ni l'autre n'avaient envie de se lancer dans une relation sérieuse. D'ailleurs, à l'époque, ils n'étaient même pas amoureux.

— Il a demandé après toi, dit Sarah en reposant le presse-papiers. Tu sais, à moins que tu n'aies quelqu'un d'autre dans ta vie, tu devrais peut-être lui donner une autre chance.

Randi secoua la tête.

— Non, je ne crois pas.

— Tu lui caches quelque chose ?

— Quoi donc ? demanda Randi, surprise, en regardant son amie. Lui cacher quelque chose ? Non, bien sûr que non… Oh ! Je viens de comprendre !

Elle secoua la tête et soupira. Personne ne connaissait l'identité du père de son bébé, pas même l'intéressé. Avant qu'elle puisse s'expliquer, le téléphone portable de Sarah se mit à sonner.

— Eh bien, le devoir m'appelle ! dit Sarah en lisant un message sur l'écran de son téléphone. Je viens de recevoir de nouveaux films. Ou plutôt de vieux films ! Je prépare un article sur les classiques du film noir pour le mois prochain, et j'ai commandé quelques cassettes de Peter Lorre, Bette Davis, et Alfred Hitchcock. Devine à quoi je vais employer mon week-end ? Passe à la maison, si tu n'as rien d'autre à faire, dit-elle en s'éloignant.

Si, elle avait autre chose à faire, songea Randi en tournant son attention vers son ordinateur.

La première tâche qui l'attendait : trouver un accord avec Kurt Striker.

— … c'est ça. Tous les trois sont de retour à Seattle, disait Eric Brown à l'autre bout du fil. Pourquoi ? Eh bien, Clanton vit ici, mais pas les deux autres. Paterno possède un pied-à-terre, Donahue, non.

Striker n'aimait pas cela.

— Paterno est arrivé il y a trois jours, et Donahue a fait son apparition hier, poursuivit Eric.

A peine quelques heures avant le retour de Randi…

— Une coïncidence ? murmura Striker sans y croire une seconde, tandis qu'il attendait sur le trottoir devant le *Clarion.*

Un rire amer retentit à l'autre bout de la ligne.

— Tu parles, Charles ! ironisa Eric.

— C'est aussi mon avis. Reprenons. Clanton vit à Seattle, et Paterno est ici pour affaires. Mais Donahue ? Est-ce que tu peux le prendre en filature ?

— Pas si tu veux que je continue à surveiller l'appartement de Sharon Okano.

Zut ! Lui et Brown n'avaient malheureusement pas le don d'ubiquité.

— Pour l'instant, reste là-bas, décida Striker. Mais appelle-moi si quelque chose te paraît bizarre, même un tout petit détail.

— Entendu. Que fait-on pour les deux autres ? Paterno et Clanton ?

— Garde un œil sur eux, et essaie de savoir ce qu'ils fabriquent ici. Mais c'est Donahue qui m'inquiète le plus. On en reparle plus tard.

Là-dessus, Striker coupa la communication et appela Kelly McCafferty. Comme elle ne répondait pas, il lui laissa un message puis rabattit sèchement le clapet de son portable. Les trois hommes dont Randi avait été proche étaient en ville. Génial ! Simplement génial… Les épaules voûtées sous l'effet du froid, le col relevé, il sentit la jalousie le ronger.

La jalousie, l'envie, étaient des émotions que Striker détestait. Le genre de sentiments inutiles qu'il avait toujours évités, même lorsqu'il était marié. Peut-être la cause de son divorce se trouvait-elle là… S'il avait pu éprouver un peu plus de jalousie, ou même de colère et de compassion durant les premières années de son mariage, s'il avait su montrer à sa femme qu'il tenait à elle, peut-être les choses auraient-elles été différentes. Bon sang ! Mais que croyait-il ? Il ne pouvait pas revenir sur le passé. Et *l'accident*, comme ils l'appelaient, l'accident avait tout changé et créé un vide immense et terrible que rien ne pourrait combler.

Pourtant, la nuit dernière, avec Randi… quand il l'avait touchée, caressée, qu'il s'était abandonné dans sa chaleur, il s'était senti si bien…

N'en fais pas toute une histoire. D'accord, tu lui as fait l'amour. Et alors ?

Cela faisait si longtemps qu'il n'avait pas couché avec une femme que la nuit dernière lui semblait peut-être plus importante qu'elle ne l'était en réalité.

Malgré tout, quelles qu'en soient les raisons, il ne cessait de revivre cette nuit sans pouvoir oublier à quel point il s'était senti bien.

Quelle erreur, pourtant !

Pour chasser de son esprit l'image de Randi nue devant le feu, le fixant de ses yeux enfiévrés, Striker alla acheter un café à un vendeur ambulant puis retourna se poster sous l'auvent d'une librairie antique jouxtant l'immeuble du *Clarion*.

Une douleur familière, à laquelle il prêtait rarement attention, le déchira intérieurement pendant qu'il buvait son café à petites gorgées. Appuyant une épaule contre le mur de brique rouge qui encadrait des vitres gravées de lettres d'or, il fixa la porte du *Clarion* à travers la fumée qui s'échappait de son gobelet en carton. Devant lui, les piétons pressaient le pas. Certains portaient des chapeaux, mais la plupart étaient nu-tête et sans parapluie, le col relevé pour se protéger du vent et de la pluie qui tombait à grosses gouttes.

Son téléphone portable sonna ; il l'extirpa de sa poche.

— Striker, annonça-t-il.

— Bonjour, c'est Kelly.

Pour la première fois depuis plusieurs heures, Striker sourit en écoutant l'épouse de Matt lui faire part des informations qu'elle avait recueillies. Au ranch, les trois frères étaient toujours chamboulés par le départ de leur sœur. Kelly essayait de retrouver la trace d'une Ford de couleur marron, rayée et cabossée après avoir poussé le véhicule de Randi hors de la route. Elle enquêtait aussi sur tous les employés qui travaillaient le soir où Randi avait failli être tuée à l'hôpital. Jusque-là, sans résultat.

Striker n'était pas étonné.

Il raccrocha, sans être plus renseigné. Celui qui essayait de tuer Randi était soit très intelligent, soit fichtrement chanceux.

Du moins, pour le moment.

Les voitures et les pick-ups aux vitres embuées défilaient dans les rues étroites et anciennes de cette partie de la ville. Striker finit son café et se renfrogna en pensant aux hommes qui avaient traversé la vie de Randi McCafferty, du moins à celui qui avait couché avec elle et lui avait laissé un fils.

Paterno. Clanton. Donahue... Trois salopards.

Toutefois, le champ des possibles se réduisait. Striker avait mené l'enquête. Il était peu probable que Joe Paterno soit le père de l'enfant. Les dates ne correspondaient pas. Il avait vérifié ses voyages et ses appels téléphoniques. Le photographe se trouvait en Afghanistan quand le bébé avait été conçu. Selon certaines rumeurs, il serait revenu en ville le temps d'un week-end, mais Kurt avait presque exclu cette possibilité en passant quelques coups de fil à la loquace logeuse de Paterno. A moins qu'il ne se soit pas montré à son appartement et qu'il se soit caché pour un week-end secret avec Randi, il ne pouvait pas être le père. Comme par ailleurs Randi avait été absente de Seattle presque tout ce mois-là, il semblait que Joe Paterno soit mis hors de cause.

Restaient Brodie Clanton, l'avocat véreux, et Sam Donahue, le cow-boy mal dégrossi.

De nouveau, Striker sentit la jalousie s'emparer de lui. Clanton, l'avocat fortuné, était un tombeur et un bourreau des cœurs. Cela l'exaspérait de penser que Randi ait pu coucher avec un homme qui ne commençait jamais une phrase sans mentionner que son grand-père était un célèbre juge.

Crétin de première, Clanton avait jusqu'à maintenant évité de se marier. On le voyait souvent tourner autour des célébrités de tout poil de passage en ville. Il était amateur de spéculations boursières, de voitures luxueuses et de jolies femmes. Il aurait pu être en ville dans les semaines où Joshua avait été conçu, mais en étudiant les reçus de carte bancaire de Randi, Striker avait établi qu'elle avait, à cette époque, fait des allers et retours entre Seattle et d'autres villes.

Elle n'était pas allée jusqu'en Afghanistan, autrement dit dans les bras de Paterno, mais elle avait suivi le circuit du rodéo, domaine où Sam Donahue était connu pour briser les chevaux sauvages comme les cœurs des jolies filles.

Striker était prêt à parier que Donahue était le père du bébé. Marié par deux fois, il avait trompé ses deux épouses, quittant la première pour une femme plus jeune, originaire de Grand Hope, dans le Montana, tout comme Randi. Et maintenant, comme par hasard, il montrait le bout de son nez à Seattle. Un jour avant le retour de Randi…

Striker serra les dents à en avoir mal.

L'ADN apporterait la réponse, bien sûr, sauf s'il obtenait la vérité des lèvres de Randi. Qu'elle avait d'ailleurs fort jolies… même quand elle était en colère. Sa bouche se tordait alors en une moue rageuse et incroyablement sexy. Bon sang ! Il ne pouvait pas, il ne voulait pas ! laisser son esprit s'aventurer vers ce terrain obscur et excitant. Randi McCafferty avait beau être très attirante, on le payait pour la protéger, pas pour la séduire. Pas question de laisser l'erreur de la nuit dernière se répéter.

Striker se sentit soudain à l'étroit dans son jean et pesta dans sa barbe. Il ne devrait pas avoir une érection rien qu'en pensant à elle… ce n'était vraiment pas le moment ! Pas de temps à perdre avec des fantasmes ridicules. Il avait une mission à remplir et il aurait tout intérêt à la mener à bien rapidement, avant qu'un autre « accident » ne survienne et que quelqu'un d'autre soit blessé. Ou avant que le meurtrier ait de la chance et que, cette fois, quelqu'un soit tué.

6.

Les portes vitrées automatiques s'ouvrirent devant elle, et Randi le vit exactement là où elle s'attendait à le trouver, l'air plus rustre et sexy que jamais. A l'évidence, il guettait sa sortie. Génial ! C'était bien la dernière chose dont elle avait besoin : une invitation à des ennuis portant un jean et une veste usés jusqu'à la corde.

Oui. Kurt Striker et sa désinvolture l'attendaient.

En le voyant, son stupide cœur se mit à battre plus vite. Elle refoula cependant rapidement toutes les émotions qu'elle éprouvait à l'égard du beau détective. Le visage rougi par le froid, les cheveux décoiffés et mouillés, il était adossé contre le mur de brique d'une petite librairie et avait les yeux rivés sur l'immeuble du *Clarion*. Il tenait un gobelet en carton, qu'il lança dans une poubelle proche lorsqu'il vit Randi sortir.

Pourquoi diable était-elle attirée par les hommes sensuels et dangereux ? Qu'est-ce qui n'allait pas chez elle ? Pas une fois, dans sa vie, elle n'avait été attirée par un homme ordinaire. Un de ces types polis, respectables, dévoués, avec des horaires de bureau. Par exemple, un passionné de foot chaleureux qui l'aimerait jusqu'à la fin des temps et n'oublierait jamais un anniversaire. Le genre d'homme dont elle faisait l'éloge dans sa rubrique, ceux auxquels elle conseillait à ses lectrices d'accorder leur attention. Ces hommes qui donneraient tout pour celle qu'ils aiment, qui lavaient leur voiture et leur chien tous les dimanches, qui portaient le même genre de chemise en flanelle depuis l'université. Des hommes bien.

Peut-être était-ce pour cette raison qu'elle pouvait conseiller les femmes et les hommes qui ne tombaient jamais amoureux des bonnes personnes. Parce qu'elle était comme eux, songea-t-elle en évitant une flaque tandis qu'elle se dirigeait vers le parking où Striker l'attendait déjà. Et parce qu'elle connaissait les pièges de l'attirance fatale. Ses cicatrices étaient là pour le prouver.

— Tiens donc, toi ici ? lança-t-elle en déverrouillant sa jeep. Apparemment, tu ne m'as pas comprise. Je ne veux pas que tu me suives !

— Nous en avons déjà parlé.

— Et j'ai comme l'impression que nous allons en discuter encore une bonne douzaine de fois avant que tu saisisses le message.

Elle ouvrit sa portière, mais Striker la referma du plat de la main.

— Si nous reprenions tout depuis le début ? suggéra-t-il en s'efforçant de sourire tout en l'empêchant de grimper dans sa jeep. Je t'emmène dîner. Il y a un pub irlandais qui a l'air très sympa au coin de la rue. Pendant qu'on mangera, tu pourras me parler de ta vie avant que tu ne reviennes dans le Montana.

— Il n'y a rien à en dire.

— Oh que si ! dit-il, cessant de sourire. Il est temps de jouer franc-jeu avec moi ; j'en ai plus qu'assez de ton silence ! Il faut que je découvre qui a essayé de vous faire du mal, à toi et à tes frères. Si tu étais moins arrogante, tu comprendrais que tu n'es pas la seule concernée, et que je n'enquête pas dans le seul but de te déranger. Tu es la clé de tous les ennuis qui se sont produits au ranch, mais ce n'est pas seulement ton problème ! Rappelle-toi, l'avion de Thorne s'est écrasé…

— A cause du mauvais temps ! coupa-t-elle. C'était un accident.

— Mais il volait, malgré l'orage, pour regagner le Montana à cause de toi et de ton bébé, non ? Et l'incendie de l'écurie ? Bon sang, Randi ! Slade a failli y laisser sa peau ! Le feu était d'origine criminelle, et pour moi, ça n'a rien d'une coïncidence, d'accord ?

— Arrête, Striker !

— Pas question.

— Pourquoi crois-tu que j'ai quitté le ranch ?

— Je pense que c'est à cause de moi.

Randi en eut le souffle coupé. Debout sous la pluie, le regard de Kurt plongé dans le sien, elle faillit exploser.

— Et de ce qui s'est passé la nuit dernière, précisa-t-il.

— Ne te surestime pas.

— Tu es partie à peine quelques heures après notre nuit d'amour.

L'estomac de Randi se noua.

— Mettons les choses au clair, dit-elle. J'ai quitté le Montana pour que les incidents au ranch cessent, et pour que mes frères et leur famille soient en sécurité. Celui qui est derrière tout ça n'en a qu'après moi.

— Alors, tu crois que tu éloignes le danger de ta famille ?

— Oui.

— Qu'en est-il de toi ? De ton fils ?

— Je suis tout à fait capable de prendre soin de moi et de mon bébé.

— Eh bien, jusqu'ici, ce n'est pas très concluant ! rétorqua-t-il, le visage coloré par le froid et les yeux brillant de colère.

— Et tu crois que me confier à toi va m'aider ? fulmina-t-elle. Je ne sais quasiment rien de toi, si ce n'est que Slade pense que tu es réglo.

— Tu en sais bien plus que ça…

Elle réprima une soudaine envie de le gifler.

— Si tu fais allusion à la nuit dernière…

— Eh bien ? Continue.

— Je ne peux pas. Pas ici. D'ailleurs, ce n'est pas de ce genre de savoir que je parlais. Alors cesse de me harceler, d'accord ?

Il fit la moue et plissa les yeux.

— D'accord, tu as raison. Tu ne me connais pas, mais il est peut-être temps de faire connaissance. Mettons-nous en route. Je te dirai tout ce que tu veux connaître.

Avec un sourire glacial, il ajouta :

— Je t'invite à dîner.

Avant que Randi puisse protester, il la saisit par le bras et l'entraîna jusqu'au coin de la rue. Ils longèrent deux immeubles puis descendirent un escalier menant à un bar-restaurant en sous-sol. Ce n'est que lorsque Randi fut installée sur une banquette au fond de la salle que Striker la lâche enfin.

— Où as-tu appris tes manières ? A l'école de Cro-Magnon ?

— Oui, et j'ai eu mon diplôme haut la main, répliqua-t-il avec un sourire désarmant.

Randi rit de bonne grâce et ravala une autre réplique cinglante. Les sarcasmes ne la mèneraient nulle part. Au moins, se dit-elle, il avait le sens de l'humour, et était capable de rire de lui-même.

Elle s'aperçut tout à coup qu'elle mourait de faim. L'odeur émanant des cuisines avait excité son appétit et son estomac commençait à émettre toutes sortes de sons peu élégants.

Kurt commanda une bière et Randi, décidant qu'un verre ne lui ferait pas de mal, fit de même.

— D'accord, d'accord. Tu marques un point, dit-elle quand il se pencha par-dessus la table et la regarda dans les yeux. Tu prends ton travail au sérieux, tu ne vas pas me laisser tomber. Quel que soit le salaire que mes frères te versent, ça vaut le coup de me supporter malgré mon mauvais caractère, hein ?

Il recula quand la serveuse, une femme mince aux cheveux roux et bouclés attachés en queue-de-cheval, arriva avec deux verres embués, un menu et un bol de cacahuètes. Elle posa le tout devant eux, puis se dirigea tranquillement vers une autre table que son patron désignait frénétiquement du doigt pour attirer son attention.

La salle était faiblement éclairée et décorée de banquettes en similicuir et acajou si vieux qu'il en était presque noir. Des odeurs de bière et de cigarette se mêlaient à celles de la nourriture. Au fond de la salle, deux hommes jouaient aux fléchettes et, depuis une arcade menant à d'autres pièces, on pouvait entendre le cliquetis de boules de billard qui s'entrechoquaient. Au bar, les clients étaient absorbés par un match de basket des Sonics, l'équipe officielle de Seattle.

— Je vais vérifier que mon bébé va bien, déclara Randi.

Elle sortit son téléphone de son sac et appela le numéro de Sharon Okano.

Celle-ci décrocha à la seconde sonnerie et s'empressa de la rassurer. Joshua allait très bien. Il avait dîné, pris un bain, et était en pyjama. Pour l'instant, il était fasciné par un mobile que Sharon avait placé au-dessus de son parc.

— Je passerai le voir dès que je le pourrai, dit Randi.

— Sois tranquille, il va bien.

— Je sais. C'est juste que je meurs d'envie de le tenir dans mes bras.

Randi raccrocha et essaya d'apaiser la douleur sourde qui ne la quittait pas quand elle se trouvait loin de son fils. C'était vraiment bizarre... Avant la naissance de Joshua, elle avait toujours été libre et sans attaches, et ne s'était pas doutée une seconde du bouleversement qui allait intervenir dans sa vie. Or, depuis qu'elle était sortie du coma et avait appris qu'elle avait donné naissance à un petit garçon, elle ne supportait pas d'être loin de lui, ne serait-ce que quelques heures.

De ce point de vue-là, les semaines à venir allaient être une torture, jusqu'à ce qu'elle soit certaine que Joshua serait en sécurité avec elle.

Elle remit le téléphone dans son sac et se tourna vers Kurt, qui l'observait intensément par-dessus son verre. Bon sang ! Traiter avec lui ne serait pas facile non plus. Même sans tenir compte du fait qu'elle avait fait l'amour avec lui comme une fille facile jusqu'aux premières heures du jour.

Ils commandèrent deux assiettes de poisson pané accompagnées de frites, de salade de chou et deux autres bières, même s'ils n'avaient pas encore fini les premières.

— Pourquoi gardes-tu le nom du père de ton bébé secret ? demanda enfin Kurt. Qu'est-ce que cela peut faire ?

— Je préfère qu'il ne soit pas au courant.

— Pourquoi ? Il me semble qu'il a le droit de savoir.

— Etre un donneur de sperme, ce n'est pas la même chose qu'être père.

Son estomac criait famine, mais la conversation qui s'annonçait allait finir par lui couper l'appétit !

— C'est peut-être à lui d'en juger, fit remarquer Kurt.

— Et peut-être que tu devrais te mêler de tes affaires.

Randi avala une longue gorgée de bière. Les hommes assis au bar devant la télévision poussèrent un cri de joie quand l'un des joueurs réussit un tir à trois points.

— Tes frères en ont fait *mon* affaire.

— Ils ne peuvent pas diriger ma vie, même s'ils le voudraient bien.

— Je pense que tu as peur.

Elle sentit ses muscles se tendre et eut envie de se défendre.

— De quoi ? demanda-t-elle.

Il ne répondit pas car la serveuse apparut et posa leurs assiettes sur la table ainsi que du vinaigre et du ketchup. Randi attendit qu'ils soient de nouveau seuls pour réitérer sa question.

— De quoi penses-tu que j'ai peur ?

— A toi de me le dire. C'est quand même bizarre, non, de ne pas dire au père de son enfant qu'il est papa. Ce n'est pas naturel. Une mère attend un soutien financier et émotionnel, d'ordinaire.

— Je ne suis pas ordinaire.

Elle crut l'entendre murmurer « amen », mais n'en fut pas sûre car il but en même temps. Elle remarqua le mouvement de sa gorge quand il avala et son côté obscur et très féminin réagit. Elle détourna les yeux en se disant qu'elle était folle.

Cela faisait bien longtemps qu'elle n'avait pas couché avec un homme. Plus d'un an, maintenant, mais cela ne lui donnait pas le droit de reluquer Kurt Striker. Il ne fallait pas qu'elle l'imagine en train de la caresser encore, de l'embrasser, d'appuyer ses lèvres insistantes et chaudes contre la courbe de son cou et de glisser ses mains sous son pull…

Randi se ressaisit et se rendit compte qu'il l'observait, guettant sa réaction, comme s'il pouvait lire dans ses pensées. A son grand désarroi, elle se sentit rougir.

— Je donnerais cher pour connaître tes pensées, dit-il.

Elle secoua la tête, feignit de s'intéresser à son assiette en versant du ketchup sur ses frites.

— Je ne te les dévoilerais pas pour tout l'or du monde.

— Alors, parle-moi du livre.

— Quel livre ?

— Celui que tu es en train d'écrire. Un autre de tes secrets.

Ce qu'il pouvait être énervant ! Elle commença à manger en silence, en le regardant de travers.

— Ce n'est pas un secret. C'est juste que je ne voulais pas en parler avant qu'il soit fini.

— Tu rentrais au ranch pour le terminer quand ta voiture a fait une sortie de route dans Glacier Park, c'est bien ça ?

Il plongea un morceau de poisson dans la sauce tartare.

Randi hocha la tête en guise de réponse.

— Tu penses que ce n'est qu'une coïncidence ? demanda Kurt.

— Personne ne savait que j'allais dans le Montana pour écrire un livre. Même mes collègues au journal croyaient que je prenais mon congé maternité. C'était vrai, d'ailleurs. J'avais prévu de faire les deux en même temps.

— Juanita était au courant.

Il avait achevé un morceau croustillant de flétan et en croquait un autre.

— Oui, bien sûr. Comme je te l'ai expliqué, ce n'était pas du tout un secret.

— Si tu le dis…

Il mangea en silence pendant une minute. Randi attendit, sachant qu'il préparait sa prochaine question. Elle ne tarda pas à arriver, directe et incisive.

— Dis-moi, Randi… A ton avis, qui veut te tuer ?

— J'ai retourné la question des dizaines de fois avec la police.

— Fais un petit effort.

Striker avait presque fini son assiette, tandis qu'elle avait à peine touché à la sienne. Son appétit s'était envolé. Elle piocha tout de même dans sa salade de chou.

— Qui sont tes pires ennemis ? reprit-il. Je veux dire, qui a une raison, fondée ou non, de vouloir ta mort ?

Cette interrogation occupait sans cesse l'esprit de Randi depuis qu'elle avait recouvré la mémoire, à sa sortie du coma.

— Je… je n'en sais rien. Personne ne me déteste assez pour me tuer.

— Les tueurs ne sont pas toujours des gens raisonnables, fit-il remarquer.

— Je ne peux nommer personne.

— Et le père du bébé ? Il a peut-être découvert que tu étais enceinte et t'en veut de ne pas le lui avoir dit. Ou comme il ne veut pas qu'on sache qu'il est le père, il a décidé de se débarrasser de vous deux…

— Il ne ferait pas ça.

— Ah non ?

Randi secoua la tête. Elle avait beaucoup d'incertitudes, mais elle était certaine que le père de Joshua se moquerait d'avoir ou non un enfant. En tout cas, il n'irait pas jusqu'à se débarrasser d'eux. Elle sentit un poids lui serrer le cœur, mais l'ignora tandis que Striker, s'adossant à la banquette, repoussait son assiette presque vide.

— Si je dois t'aider, dit-il, il faut que je sache. Qui est-ce, Randi ? Qui est le papa de Joshua ?

En découvrant sur ses genoux d'innombrables petits morceaux de papier rouge, elle s'aperçut qu'elle venait de déchiqueter machinalement sa serviette. Elle n'allait pas emporter son secret dans la tombe, non ? Pourtant, à l'idée de révéler la vérité, elle se sentait encore plus vulnérable, comme si elle brisait ce lien de confiance particulier qui la reliait à son fils.

— Je miserais sur Donahue, lâcha Striker à brûle-pourpoint.

Randi se raidit.

Il lui fit un clin d'œil, mais son expression était sévère.

— A mon avis, tu as un faible pour les cow-boys sexy, déclara-t-il.

— Tu ne sais pas quel est mon type d'homme.

— Vraiment ? Pourtant, la nuit dernière…

— C'est un coup bas, Striker. La nuit dernière était… était…

— Quoi ?

— Une erreur. Tu le sais aussi bien que moi. Alors, oublions-la. Comme je te l'ai dit, tu ignores quel est mon genre.

Il afficha un sourire exaspérant et diablement sexy. Ses yeux verts soutinrent son regard, et Randi sentit une vague de chaleur lui envahir la nuque.

— J'essaie d'y remédier, dit-il.

Ne fais pas ça, Randi. Ne le laisse pas te séduire. Il ne vaut pas mieux que… que…

En songeant à quel point elle avait été naïve, elle sentit sa gorge se serrer. Le père de Joshua l'avait séduite, s'était servi d'elle. Et il la respectait moins que son chien. Quelle idiote elle avait été !

— D'accord, Striker…

Elle se força à prononcer les mots, ce qu'elle se jurait pourtant encore de ne jamais faire quelques heures plus tôt.

— Je vais te dire la vérité, poursuivit-elle tout en détestant la sensation de soulagement que lui procurait le fait de se confier enfin. Mais ça reste entre toi et moi, d'accord ? Le moment venu, je le dirai à Joshua et à mes frères. Mais seulement quand je l'aurai décidé !

— Ça me paraît juste.

Il s'enfonça sur la banquette et croisa les bras sur sa poitrine.

Randi prit une profonde inspiration et pria pour ne pas commettre la plus grosse erreur de sa vie. Elle regarda Striker droit dans les yeux.

— Tu as raison, dit-elle. Le père de Joshua, quoique père soit un bien grand mot, est effectivement Sam Donahue.

Elle trébucha presque sur le nom de Sam. Elle n'aimait pas le prononcer à voix haute, pas plus qu'elle n'aimait admettre que, comme bien d'autres avant elle, elle s'était laissé mener en bateau par le cow-boy au charme sauvage. Elle en éprouvait de la honte et, sans son cher fils, elle aurait regretté son erreur jusqu'à la fin de ses jours. Joshua, évidemment, changeait sa vision des choses.

Striker ne pipa mot et ses lèvres ne formèrent pas de moue désapprobatrice. Il ne leva même pas un sourcil moqueur. Non. Il se contenta de l'observer et de guetter la moindre de ses réactions.

— Voilà. Maintenant, tu sais, conclut-elle en se levant. J'espère que ça pourra t'aider, mais je doute que ça signifie quoi que ce soit.

Elle quitta le restaurant et monta les marches menant aux rues détrempées. De nouveau, la pluie s'était muée en bruine, créant un halo de brouillard autour des lampadaires. L'air était lourd, saturé par l'eau salée du bras de mer de Puget Sound.

Randi eut soudain envie de courir. Aussi vite et aussi loin que possible, pour échapper à cette sensation de claustrophobie, cette angoisse qui l'oppressait, cette même peur qu'elle avait tenté de fuir en quittant le Montana.

Rien à faire : la peur la suivait partout, songea-t-elle tandis que ses bottes résonnaient sur le trottoir glissant alors qu'elle rejoignait sa voiture.

La ville était loin d'être déserte. La circulation était dense et les piétons se pressaient le long des trottoirs. Randi n'avait pas pris la peine de mettre sa capuche ; l'humidité s'accumulait sur ses joues et aplatissait ses cheveux, mais elle ne s'en souciait pas.

Bon sang ! Pourquoi avait-elle parlé de Sam Donahue à Striker ? Sa relation avec le cow-boy n'avait pas été à proprement parler une histoire d'amour. Plutôt un coup de cœur, bien qu'au début elle ait été assez folle pour croire qu'elle pourrait tomber amoureuse. Il n'en avait pas été de même pour lui, et elle avait alors compris son erreur. Pas avant que le test de grossesse se soit révélé positif, cependant.

Sachant qu'il s'en contreficherait, elle n'avait pas pris la peine de le dire à Donahue. C'était un homme égoïste par nature, un nomade qui vivait pour le rodéo et n'avait déjà pas de temps à consacrer à ses deux ex-femmes et à ses enfants. Randi n'avait pas l'intention de lui coller un autre bébé sur les bras. Pour elle, il valait mieux que Joshua ait un seul parent, stable et fort, plutôt que deux qui se disputent, et un père qu'il ne connaîtrait jamais vraiment.

Certes, son fils poserait des questions, plus tard, et elle avait bien l'intention d'y répondre honnêtement. Quand le moment serait venu. Mais pas maintenant. Pas alors que son bébé n'était qu'innocence.

— Randi !

Striker l'avait rejointe, tête nue comme elle, l'air dur.

— Quoi ? Tu as d'autres questions ? demanda-t-elle, incapable de masquer le sarcasme dans sa voix. Eh bien, désolée, mais je suis à court de détails croustillants sur ma vie.

— Je n'ai pas fait tout ce chemin depuis le Montana pour t'embarrasser, dit-il quand ils atteignirent le parking.

— On dirait, pourtant.

— Non, c'est faux. Tu le sais bien.

Elle avait atteint sa jeep et déverrouillé les portières.

— Pourquoi ai-je l'impression que tu n'en as pas fini avec moi ? lança-t-elle. Que tu ne seras pas satisfait avant d'avoir gratté la plus petite parcelle de ma vie privée ?

— Je veux seulement t'aider.

Il semblait sincère, mais elle avait déjà été trompée une fois. Par un maître en la matière, Sam Donahue. Kurt Striker, qu'il aille au diable ! était du même tonneau. Un autre cow-boy, un autre rustre. Un autre homme sexy au passé trouble. Un homme pour qui elle avait déjà commencé à fondre. Le genre à éviter absolument.

— M'aider ?

— Oui.

Il posa les yeux sur ses lèvres, sur lesquelles elle passa nerveusement la langue, goûtant l'eau de pluie qui tombait sur son visage. Son cœur se mit à battre à coups redoublés. Elle sut à cet instant qu'il allait l'embrasser. Il se retenait, elle le voyait dans ses yeux. A la fin, toutefois, son envie prit le dessus et il colla ses lèvres aux siennes avec une telle intensité que Randi en eut le souffle coupé. Très vite, de sa langue entreprenante, il la força à ouvrir la bouche plus grand, tout en la serrant contre lui. C'est alors que Randi céda.

Malgré elle, elle lui rendit son baiser. Elle savait qu'elle commettait une grave erreur, qu'elle franchissait une limite et que sa vie, à partir de cet instant, serait à jamais bouleversée.

Mais, dans l'agitation de la ville, sous la pluie battante, rien ne comptait plus que ce baiser.

7.

Arrête ! Arrête ça tout de suite ! Tu ne te rappelles donc pas la nuit dernière ?

Clignant des yeux à cause de la pluie, luttant contre l'envie de s'abandonner dans ses bras, Randi s'écarta de Kurt.

— Ce n'est pas une bonne idée, dit-elle. Maintenant pas plus qu'hier soir.

Il afficha une moue sceptique.

— Je n'en suis pas si sûr.

— Moi si.

Elle mentait. A cette minute, elle n'était plus sûre de rien. Sans se retourner, elle chercha la poignée de sa portière.

— Faisons une pause, tu veux bien ? proposa-t-elle.

Il ne protesta pas et n'essaya pas de la retenir quand elle monta dans sa jeep. Les mains tremblantes, elle mit le contact. C'était de la folie pure ! Elle ne pouvait tout de même pas embrasser tous les hommes du style de Kurt Striker !

Bonté divine ! Où avait-elle la tête ?

Tu avais perdu la tête. Voilà le problème !

Elle alluma l'autoradio, entendit les premières notes d'une chanson d'amour inepte, et tourna immédiatement le bouton. Ce fut pour tomber sur une émission populaire où un psychologue prodiguait ses conseils à une personne qui fréquentait toujours les hommes qui ne lui convenaient pas. Des conseils semblables à ceux qu'elle offrait dans sa rubrique du *Clarion*, ceux-là même qu'elle ferait bien de suivre !

D'abord, elle avait commis l'erreur de craquer pour Sam Donahue et maintenant, voilà qu'elle s'entichait de Kurt Striker… Non ! Elle frappa rageusement sur le volant en freinant à un feu rouge.

Avant de rédemarrer, elle appela Sharon, qui lui assura que Joshua allait bien et, un peu plus loin, s'arrêta dans un drugstore pour y faire quelques courses.

Une demi-heure plus tard, elle se garait sur le parking de sa résidence. A présent qu'elle se trouvait loin du bruit de la ville, l'obscurité de la nuit lui apparaissait plus effrayante. Le parking était faiblement éclairé ; les lampadaires projetaient de pâles cercles de lumière sur le sol mouillé. Seuls quelques rares véhicules stationnaient et l'endroit était plutôt désert. Pas de voisin en train de promener son chien ou de sortir ses poubelles. Des fenêtres brillaient ici et là, mais la plupart des appartements étaient sombres.

Et alors ? C'est bien pour ça que tu as choisi cet endroit, non ? Pour son calme, avec seulement quelques habitations surplombant le lac.

Pour la première fois depuis son emménagement, Randi ressentit de la peur en regardant son appartement. Elle hésita un instant et observa les alentours. Peut-être que quelqu'un l'observait, tapi là-bas, dans la haie de sapins et de rhododendrons qui bordait le parking, à l'abri des regards… Elle avait la sensation que quelqu'un la suivait des yeux à travers un voile d'épines et de feuilles mouillées.

— Ressaisis-toi ! murmura-t-elle en descendant de sa jeep.

Elle hissa son sac sur son épaule et se cramponna à l'anneau de sa clé. Comme si cela pouvait la protéger !

Personne n'était tapi dans l'ombre. Personne ne l'espionnait, s'efforça-t-elle de se persuader. Elle regretta toutefois d'avoir été si prompte à mettre de la distance entre elle et Striker. Tout compte fait, un garde du corps ne serait peut-être pas inutile. Quelqu'un en qui elle pourrait avoir confiance.

Quelqu'un que tu ne peux pas t'empêcher de toucher ?

Quelqu'un avec qui tu as fait l'amour ?

Quelqu'un que, même en sachant que c'est une erreur, tu aimerais entraîner dans ton lit ?

Elle revit l'image de Kurt Striker, tout en muscles, la serrant dans ses bras devant le feu presque éteint, au ranch.

Pour l'amour du ciel ! Traînant son ordinateur portable, ses provisions et son envahissante libido avec elle, Randi se dirigea vers la véranda, réussit à ouvrir la porte et à allumer la lumière. Elle souhaita presque que Kurt l'attende à l'intérieur, mais c'était stupide car elle se savait incapable de répondre de ses actes en sa présence.

— Tu es une idiote ! marmonna-t-elle.

Elle aperçut son reflet dans le miroir surmontant le portemanteau du vestibule. Les cheveux mouillés et bouclés sous l'effet de la pluie, elle avait les joues rouges et les yeux brillants.

Elle posa son ordinateur et son sac à côté de son bureau, enleva son manteau et entendit un bruit de moteur sur le parking. Son cœur fit un bond et un rapide coup d'œil par la fenêtre de la cuisine lui confirma l'arrivée de Striker. Il était déjà descendu de son pick-up et se dirigeait vers son appartement.

Randi alla lui ouvrir la porte.

— Tu n'as pas l'air de comprendre ce qu'on te dit, hein ? railla-t-elle.

— Doucement ! Je ne suis pas d'humeur à plaisanter, la prévint-il.

Sans attendre d'y être invité, il entra et referma la porte derrière lui.

— Je n'aime pas quand tu essaies de me semer !

— Et moi, je n'aime pas être brutalisée.

Elle se mit à déballer ses courses, rangea un carton de lait dans le réfrigérateur presque vide.

— Je n'ai fait que t'embrasser.

— Oui, en pleine rue, alors que manifestement je ne le voulais pas.

Il leva un sourcil incrédule.

— Tu ne le voulais pas ? dit-il. Eh bien, qu'est-ce que cela doit être quand tu es consentante ! Comme hier…

— Hier, c'était hier, lui rappela-t-elle.

Elle leva la main pour parer à toute objection.

— Ne parlons plus de cette nuit, ordonna-t-elle.

Striker s'empara d'un tabouret de bar et s'assit lourdement au comptoir qui séparait la cuisine du salon.

— Entendu, approuva-t-il. Mais il y a un sujet que nous devons aborder.

Randi se prépara au pire.

— Lequel ?

— Sam Donahue.

— Pas question, rétorqua-t-elle en sortant un pain du sac mouillé.

— Je ne suis pas de cet avis. Nous avons assez perdu de temps comme ça, et j'en ai marre que tu ne joues pas franc-jeu avec moi.

— Je n'aurais jamais dû te dire qu'il est le père.

Il lui décocha un regard réprobateur.

— J'avais déjà deviné, rappelle-toi, fit-il remarquer.

Il inspira profondément et passa une main nerveuse dans ses cheveux.

— Tu as du bois pour ça ? demanda-t-il, désignant du menton la cheminée.

— Il m'en reste un peu. Dans un casier, sur la terrasse.

— Apporte-moi une bière. Je vais faire du feu et ensuite, que tu le veuilles ou non, nous discuterons de ton ex-amant.

— Eh bien ! Et on dit que les célibataires ne s'amusent pas ? ironisa-t-elle. Tu sais, Striker, tu as un sacré culot pour venir ici et aboyer des ordres. Ce qui… ce qui s'est passé entre nous hier soir ne te donne en aucun cas le droit de me commander dans ma propre maison.

— C'est vrai, dit-il sans la moindre trace de remords sur le visage. Aurais-tu la gentillesse de m'apporter une bière, pendant que je m'occupe du feu ?

— Je ne suis pas sûre qu'il m'en reste. Je n'en ai pas acheté, tout à l'heure.

— Il en reste une. Dans la porte du réfrigérateur. J'avais vérifié.

La bouteille vide posée sur la table basse était là pour en témoigner.

— Quand tu es entré par effraction, marmonna-t-elle quand il poussa la porte battante du comptoir et se dirigea vers la terrasse.

Elle ouvrit le réfrigérateur, de nouveau, et vit la longue bouteille dans le casier de la porte. Il était observateur, soit, mais il restait un rustre et un tyran qui s'immisçait dans sa vie sans y être invité. Un tyran très sexy, par ailleurs. Hélas !

Randi saisit la dernière bouteille, la décapsula et, tandis que Striker déposait quelques bûches de chêne dans l'âtre, avala une longue gorgée de bière. Il pouvait bien partager, non ?

Elle le regarda se pencher au-dessus du foyer carrelé, sa veste et sa chemise se soulevant au-dessus de sa ceinture, et elle eut ainsi une vue sur son dos lisse et musclé. Tout d'un coup, elle eut la gorge sèche et but une autre gorgée de bière. Diable ! Qu'allait-elle bien pouvoir faire de lui ? Elle avait déjà mis son âme et son corps à nu, puis, après avoir juré qu'il ne l'intéressait pas, l'avait embrassé en pleine rue, éperdument. Et maintenant… Elle jeta un coup d'œil vers la porte entrebâillée de sa chambre et les imagina tous les deux sur son lit, enlacés, leurs corps perlant de sueur.

Son cœur cogna quand elle visualisa sa bouche sur ses seins, ses mains descendant jusqu'à sa taille tandis qu'il se plaçait sur elle, lui écartait doucement les genoux, se préparait au-dessus d'elle, le sexe vibrant, le regard enfiévré. Puis, les yeux clos, il la pénétrait d'un seul long mouvement…

Striker s'éclaircit la gorge, ce qui ramena brusquement Randi à la réalité. Elle rougit en se rendant compte qu'il venait de lui parler et qu'elle était incapable de se souvenir du moindre mot !

— Pa… pardon ?

— Je t'ai demandé si tu avais des allumettes.

Il porta son regard vers elle, puis vers le couloir menant à sa chambre. Amusé, il leva un sourcil et Randi crut mourir de honte. Aucun doute, il avait deviné ses pensées !

— Ah ! Oui…, dit-elle.

Pendant qu'elle fantasmait, il avait froissé de vieux journaux, empilé des bûches, et même cassé quelques morceaux de petit bois.

Elle prit une nouvelle gorgée de bière, lui tendit la bouteille et se hâta de rejoindre la cuisine, où elle fouilla dans un tiroir.

N'y va pas. Tu ne vas pas te vautrer sur le lit avec lui. Pas une nouvelle fois. Tu ne vas même pas l'embrasser. Tu ne feras rien de déraisonnable avec lui. Plus rien du tout !

Elle trouva une boîte d'allumettes et la lança à Striker par-dessus le comptoir, tout en essayant de calmer les battements incontrôlés de son cœur. Il était temps de passer à l'offensive.

— D'accord, Striker. Je t'ai avoué mes secrets les plus sombres. Quels sont les tiens ?

— Ça ne te regarde pas.

— Attends une minute ! Ce n'est pas du jeu.

— Tu as raison. Ce n'est pas juste.

Il frotta une allumette et l'odeur de soufre satura l'air quand il mit la petite flamme en contact avec le papier sec, qui s'enflamma instantanément.

— Mais rien n'est juste dans la vie, ajouta-t-il.

— Au pub, tu avais dit que je pouvais tout te demander.

— J'ai changé d'avis.

— Comme ça ? dit-elle en claquant les doigts avec une mine incrédule.

— Mais oui.

Il but une gorgée de bière.

— Je ne suis pas d'accord, dit-elle. Je pense que j'ai le droit de savoir qui tu es.

Le feu ayant pris, Striker se redressa et regarda Randi pardessus le comptoir.

— Je suis un ancien flic reconverti en détective privé.

— Ça, j'avais deviné. Mais qu'en est-il de ta vie personnelle ?

— Justement, c'est personnel.

— Tu es célibataire, non ? Il n'y a pas de Mme Striker ?

Il hésita, suffisamment pour qu'elle sente son cœur s'affoler. Oh non ! Marié, lui aussi ? se demanda-t-elle, affolée, en s'appuyant sur le comptoir pour se soutenir. Dire qu'il l'avait embrassée, caressée…

— Il n'y en a plus. J'ai été marié, mais ça s'est terminé il y a quelques années.

— Pourquoi ?

Il serra la mâchoire.

— Tu n'as pas lu les statistiques ?

— Je veux parler de la raison derrière les statistiques, du moins dans ton cas.

Une ombre traversa son regard lorsqu'il répondit :

— Ça n'a pas marché, voilà tout. J'étais flic. J'ai sûrement dû accorder plus d'attention à mon travail qu'à ma femme.

— Et vous n'avez pas eu d'enfants ?

De nouveau, il hésita. De nouveau, une ombre voila son regard. Ses mâchoires se contractèrent tandis qu'il se frottait les mains pour en ôter la poussière.

— Je n'ai pas d'enfants, dit-il lentement. Et je n'ai plus jamais eu de nouvelles de mon ex. Ça couvre l'essentiel, non ?

Une étincelle brillait dans ses yeux, la défiant de protester. Plusieurs questions se bousculaient dans la tête de Randi, mais elle s'abstint de les poser. Pour l'instant. Il y avait d'autres manières d'obtenir des informations. Elle était journaliste, après tout, et avait à sa disposition les moyens de découvrir tout ce qu'elle voulait savoir. Des articles intéressants se trouvaient sûrement sur Internet, et pour ce qui était de sa vie privée, elle trouverait par d'autres sources.

Avec Sam Donahue, elle avait été confiante, et ça lui était revenu en pleine figure. Mais cette fois... Bon sang ! Pourquoi de telles pensées lui traversaient-elles l'esprit ? Il n'y avait pas de « cette fois » ! Kurt Striker ne faisait pas partie de sa vie, sauf en tant que garde du corps. Point. Il était ici parce que ses frères l'avaient engagé. Elle était une cliente pour lui. Rien de plus.

— Ecoute, j'ai du travail à faire, dit-elle en prenant son ordinateur. J'ai été absente pendant des mois, et si je ne réponds pas à mes mails et ne rédige pas une ou deux rubriques, je vais avoir de gros ennuis. Mon patron et moi sommes déjà en mauvais termes. Donc, si ça ne te dérange pas... D'ailleurs, même si ça te dérange, je vais commencer à faire le tri dans ce qui s'est amoncelé. Je comprends que tu penses devoir me surveiller vingt-quatre heures sur vingt-quatre, mais ce n'est pas nécessaire. Personne ne va tirer à vue sur moi, ici.

— Qu'est-ce qui te fait croire ça ?

Striker finit le reste de la bière.

— Eh bien, il y a trop de gens ici. Un vigile est toujours là pour surveiller la résidence dès l'aube. Et surtout, Joshua est en sécurité avec Sharon.

L'expression de Striker lui indiqua qu'il ne partageait pas son opinion. Et elle, était-elle vraiment convaincue ? N'avait-elle pas eu, quelques minutes auparavant, la sensation que quelqu'un l'épiait ? Elle contourna le comptoir et traversa la pièce pour le rejoindre.

— Ecoute, je sais que je cours un danger, reconnut-elle. Je t'assure, sinon je n'aurais pas pris le temps de mettre mon bébé à l'abri. Je suis revenue ici pour essayer de comprendre tout ça, pour apaiser mes frères, pour reprendre ma vie en main, et pour qu'ils puissent mener la leur de leur côté. Et oui, je mentirais si je disais ne pas être angoissée. C'est vrai, je sursaute au moindre bruit, mais il faut que je mette certaines choses en ordre, que j'aie prise sur ce qui se passe.

— C'est pour ça que je suis là. Je pense que si nous travaillons ensemble, nous pourrons réussir à comprendre ce que cherche le tueur.

Il était si proche qu'elle pouvait sentir l'odeur de cuir mouillé de sa veste, voir les striures colorées de ses yeux verts, sentir la chaleur de son corps.

Elle ne comprenait déjà pas ce qui se passait en ce moment !

— Il se peut que nous n'y parvenions pas, dit-elle. J'ai retourné les événements sous tous les angles, et j'en arrive toujours à la même conclusion. A ma connaissance, je n'ai pas de véritables ennemis. Je ne connais personne qui voudrait faire du mal à moi ou à ma famille. Ça n'a pas de sens !

Pour s'éloigner de lui elle alla jusqu'au canapé et s'écroula sur les coussins. Qui ? Comment ? Pourquoi ? Les questions qui avaient hanté ses nuits au point de lui faire perdre le sommeil restaient sans réponse.

— Qu'est-ce qui a du sens, dis-moi ? demanda-t-il. Quelqu'un t'a suivie de Seattle jusqu'à Grand Hope dans le Montana, et t'a fait perdre le contrôle de ta voiture. Pourquoi ?

— Je te l'ai dit, je l'ignore ! Crois-moi, j'y ai pensé des tas de fois.

— Essaie encore.

Il fronça les sourcils et passa les doigts dans sa chevelure encore humide.

— Si ça ne concerne pas ton bébé, c'est peut-être ton travail ? As-tu donné de mauvais conseils à quelqu'un au point de le rendre furieux ?

Elle secoua la tête.

— J'ai envisagé cette hypothèse également. Quand j'étais dans le Montana, j'ai fait des recherches sur Internet et j'ai passé en revue les rubriques parues les deux mois précédant mon accident. Je n'ai rien trouvé qui puisse faire enrager quelqu'un.

Striker releva brusquement la tête.

— Alors, tu es inquiète ?

— Evidemment ! On le serait à moins ! Mais il n'y avait rien dans mes conseils qui puisse irriter qui que ce soit.

— C'est ce que tu crois. Les détraqués, ça court les rues.

Il posa la bouteille vide sur le comptoir.

C'était bien vrai ! songea Randi avec lassitude.

— Mais personne ne m'a envoyé de mail, ni appelée, ni contactée de quelque manière que ce soit, objecta-t-elle. J'ai vérifié toutes les communications que j'ai reçues.

Il opina et elle prit conscience qu'il avait probablement eu accès à ces informations aussi.

— Eh bien, il y a forcément une raison, dit-il. On passe à côté.

Il réfléchissait, concentré, en se frottant le menton.

— Tu écris des articles sous un pseudonyme.

— Rien qui prête à controverse.

Il plissa les yeux.

— Et le livre sur lequel tu travailles ?

Randi marqua un temps d'hésitation. Le manuscrit qu'elle rédigeait n'était pas terminé, et elle avait eu toutes les peines du monde à le garder secret tandis qu'elle enquêtait sur une affaire d'escroquerie lors d'un championnat de rodéo. C'est en faisant des recherches sur le sujet qu'elle avait rencontré Sam Donahue, qui prétendait être un ami de ses frères. En fait, il ne les connaissait que vaguement, mais elle avait fini par tomber amoureuse, tout en sachant que c'était une fripouille. Elle était bien consciente que son charme tenait à son mystère dangereux, ce qui ne l'avait pas empêchée de se retrouver au lit avec lui. Et enceinte.

Bien sûr, c'était un mal pour un bien. Sans cette liaison malheureuse avec Sam, elle n'aurait jamais eu Joshua, et ce petit bout de chou était la lumière de sa vie.

— Qu'y a-t-il dans ce livre qui soit si important ?

— Tu sais ce qu'il y a dedans pour l'essentiel.

— Un livre sur les cow-boys.

— Oui, enfin... un peu plus que ça.

Rejetant la tête en arrière, elle ferma les yeux.

— Ça englobe tous les aspects du rodéo, les bons comme les mauvais. Surtout les mauvais. A côté de la grande tradition de l'Ouest américain, il y a aussi le côté sombre, les coulisses sordides. En creusant le sujet, j'ai appris la drogue, les animaux maltraités, les compétitions truquées, les pots-de-vin, et j'en passe.

— Laisse-moi deviner : la plupart des informations provenaient de ce bon vieux Sam Donahue.

— Certaines, oui, reconnut-elle.

Ouvrant les yeux, elle constata que Kurt avait l'air renfrogné, comme si le simple fait de mentionner Donahue lui faisait voir rouge.

— J'allais donner des noms dans mon livre, et je suppose que j'ai pu rendre quelques personnes nerveuses. Mais personne ne savait réellement ce que je faisais.

— Et Donahue ?

Elle secoua la tête et regarda par la fenêtre.

— Je lui ai dit que c'était une série d'articles sur les fêtes des petites villes, que le rodéo n'était qu'une petite partie de la tranche d'Amérique sur laquelle j'écrivais. Sam n'était pas si intéressé par ce que je faisais.

— Pourquoi ?

— Oh ! je ne sais pas…, dit-elle en tournant son regard vers Kurt.

Le feu brûlait doucement, jetant des ombres dorées sur les meubles de la pièce. Elle alluma une lampe sur la table, espérant briser l'ambiance intime que les flammes créaient.

— Peut-être parce que Sam est égocentrique et plutôt absorbé par sa propre vie, poursuivit-elle.

— Il m'a l'air charmant.

— Oui, je l'ai cru aussi. Au début. Mais cette impression s'est vite estompée.

Striker leva un sourcil quand elle ajouta :

— J'avais déjà compris que ça ne collerait pas entre nous quand j'ai soupçonné ma grossesse.

— Qu'a-t-il dit, à propos du bébé ?

— Rien. Il n'est pas au courant.

— Tu ne lui as rien dit ?

— Non. Nous avons déjà parlé de ça, il me semble.

Striker eut l'air de vouloir ajouter quelque chose, mais il tint sa langue. Randi lui en fut reconnaissante ; elle n'avait pas envie qu'on la juge.

— D'ailleurs, ajouta-t-elle avec amertume, je pense que nous sommes quittes à présent. Lui avait omis de mentionner qu'il n'était pas vraiment divorcé.

Elle plissa le nez et ressentit le même embarras que lorsqu'elle avait découvert que Sam lui avait menti.

Comme une idiote, elle était tombée amoureuse et avait cru à tous ses boniments.

Une rougeur monta le long de son cou et elle se mordilla la lèvre inférieure. Elle avait toujours été fière de son intelligence innée, mais en ce qui concernait les hommes, elle s'était souvent montrée naïve. Elle avait fait les mauvais choix, accordé sa confiance trop facilement et s'était attachée plus qu'elle n'aurait dû. De Teddy Sherman, le palefrenier que son père avait engagé quand elle avait dix-sept ans, à ce musicien à l'université, en passant par Sam Donahue, le cow-boy charmeur qui s'était avéré un menteur de première... Eh bien, c'était fini, se dit-elle, même si Kurt Striker, maudit soit-il, menaçait de lui faire baisser sa garde.

Il approcha du feu, attrapa un tisonnier et piqua les bûches brûlantes. Des étincelles volèrent dans le conduit de la cheminée et l'un des morceaux de bois noircis se fendit avec un bruit sourd.

Randi observa Kurt et ressentit le même désir, la même attirance qu'à chaque fois qu'elle se trouvait près de lui. Kurt était différent. Il avait une force de caractère qui manquait aux autres hommes qu'elle avait trouvés séduisants. C'étaient des rêveurs ou, dans le cas de Donahue, des menteurs. Striker ne semblait être ni l'un ni l'autre. A l'évidence, il avait les pieds sur terre et semblait profondément honnête. Ses yeux étaient francs, ses épaules droites, et son sourire, quand il daignait en offrir un, aussi espiègle qu'amusé. Il la séduisait à un tout autre niveau. D'égal à égal. Il ne la regardait pas de haut, pas plus qu'il ne l'élevait sur un piédestal duquel, inévitablement, elle finirait par tomber.

— Dis-moi, que penses-tu de ton fils ?

— Je suis folle de lui, bien sûr.

— Tu le crois vraiment en sécurité chez Mlle Okano ?

— Je ne le lui aurais pas confié mon enfant si ce n'était pas le cas.

— Je serais plus rassuré s'il était avec toi. Et avec moi.

— Personne ne m'a suivie jusque chez Sharon. Peu de gens savent que nous sommes amies. Nous partagions la même chambre à l'université, et elle a emménagé dans la région à l'automne dernier. Je... je crois vraiment qu'il est plus à l'abri avec elle. Je suis en train de la rendre folle à force de lui téléphoner. Elle me croit parano, et elle n'a peut-être pas tort.

— La paranoïa, ça a parfois du bon. Comme dans ton cas.

Striker sortit son portable de sa veste et composa un numéro. Quelques secondes plus tard, il ordonnait à quelqu'un de surveiller l'appartement de Sharon Okano, et de fouiller dans le passé de Sam Donahue.

— ... c'est ça. Je veux savoir exactement où il se trouvait le jour où Randi a fait une sortie de route, et le jour où on a essayé de la tuer à l'hôpital... Oui, je sais qu'il avait un alibi, mais vérifie encore une fois. Et n'oublie pas de faire une petite enquête sur les voyous avec lesquels il traîne. C'était peut-être un travail payé. Je ne suis pas sûr, mais je te conseille de commencer par Marv Bates et Charlie... Bon sang, j'ai oublié son nom, Charlie...

— ... Caldwell, compléta Randi.

Elle frissonna intérieurement en pensant aux deux cow-boys que Sam lui avait présentés. Marv était maigre comme un clou, remuait à peine les lèvres quand il parlait et plissait continuellement les yeux. Charlie, quant à lui, était un homme corpulent et nonchalant, qui pouvait toutefois se montrer étonnamment rapide s'il était motivé.

— C'est ça, Charlie Caldwell. Vérifie les registres des prisons. Vois si les copains de Donahue y ont fait un séjour... Entendu... tu peux me joindre sur mon portable, c'est le mieux.

Il se dirigea vers le bureau.

— Je serai à l'appartement, mais je préfère ne pas utiliser la ligne fixe. J'ai vérifié, elle ne semble pas sur écoute, mais je n'en suis pas certain.

Un nouveau frisson parcourut Randi à l'idée que quelqu'un ait pu toucher à sa ligne téléphonique ou soit entré chez elle en son absence. Striker l'avait bien fait sans problème ! Il n'était peut-être pas le premier…

Elle eut la chair de poule en regardant ses meubles sous une perspective nouvelle. Le canapé en suédine, la chaise en faux léopard et le rocking-chair style ottoman, les tables basses achetées dans une brocante, et son antique machine à coudre à pédale, héritée de son arrière-grand-mère, trônant près de la fenêtre… Les cactus prospères, la fougère à l'agonie, le miroir au-dessus de la cheminée, celui qu'elle avait hérité de sa mère et qui était légèrement piqueté… Rien n'avait été déplacé. Rien ne lui paraissait anormal.

Et pourtant… quelque chose n'allait pas. Quelque chose sur quoi elle ne parvenait pas à mettre le doigt. Exactement comme la sensation étrange d'être surveillée quand elle avait garé sa jeep.

— A plus tard.

Striker referma le clapet de son téléphone et observa Randi qui allait vers le bureau et vérifiait que rien n'avait été dérangé. Elle avait déjà procédé à une rapide vérification plus tôt dans la journée, mais maintenant, sachant que son téléphone avait peut-être été mis sur écoute, sa maison violée, sa vie envahie par un assaillant invisible, elle voulait s'assurer encore une fois que tout était en place.

Son téléphone sonna, ce qui la fit sursauter. Elle attrapa le combiné avant qu'il ne retentisse une seconde fois.

— Allô ?

En guise de réponse, elle s'attendait à entendre un avertissement prononcé par une voix rauque et inconnue, ou une lourde respiration.

— Ah ! Tu es bien arrivée, alors !

Randi crut fondre en larmes en reconnaissant la voix de Slade. Le plus jeune de ses frères aînés. Slade était né avec le même esprit insoumis qui avait frappé tous les enfants de John Randall McCafferty. Il avait simplement gardé ses manières rebelles un peu plus longtemps que Thorne et Matt.

— Je croyais que tu aurais la présence d'esprit de nous appeler pour nous dire que tu étais arrivée saine et sauve, la sermonna-t-il.

Elle éprouva un sentiment de remords.

— J'imagine que je n'ai pas eu le temps d'y penser, se défendit-elle en souriant à l'idée que ses frères, qui il y a peu encore éprouvaient du ressentiment à son égard, tremblaient maintenant pour elle.

— Est-ce que tout va bien ?

— Jusqu'ici, oui. Bien que j'aie un point à débattre avec toi.

— Mmm…

— Et avec Matt et Thorne.

— J'imagine.

— Mais de quel droit avez-vous engagé un garde du corps pour me surveiller ? s'exclama-t-elle.

Dans le miroir, Randi vit Kurt Striker qui se tenait derrière elle. Leurs regards se rencontrèrent, et quelque chose dans ses yeux la toucha droit au cœur, au plus profond de son âme.

Slade essayait de s'expliquer.

— Tu as besoin de quelqu'un pour t'aider…

— Tu veux dire d'un homme pour me surveiller ! corrigea-t-elle, de nouveau folle de rage.

Frustrée, elle tourna son attention vers la fenêtre où elle pouvait distinguer les eaux agitées du lac Washington qui roulaient dans la nuit.

— Eh bien, pour ta gouverne, mon cher frère, je peux prendre soin de moi toute seule, reprit-elle.

— Ouais, c'est ça !

Le sarcasme de Slade la blessa profondément.

Malgré elle, elle redressa les épaules.

— Je suis sérieuse.

— Nous aussi.

Randi entendit des bruits de conversation en fond sonore. Des voix graves et masculines mais aussi les tons plus aigus de ses belles-sœurs, sans nul doute puis, s'élevant au-dessus du reste de la conversation, un déferlement de mots d'espagnol qui ne pouvaient provenir que de Juanita, la bonne.

— Dis-lui d'être prudente. *Dios !* Qu'est-ce qui lui a pris de s'enfuir comme ça !

D'autres mots d'espagnol fusèrent et Slade répondit :

— Tu as entendu ? Juanita pense que…

— J'ai entendu.

Randi éprouva tout à coup l'envie de retourner à la maison. Ridicule ! Chez elle, c'était à Seattle. Sa vie était ici. Elle avait son travail au journal, son appartement. Pourtant, en fixant les eaux noires et écumeuses qui tourbillonnaient furieusement, elle s'interrogea. N'avait-elle pas commis une erreur en revenant dans cette ville bruyante, dont elle était tombée amoureuse des années auparavant ? Elle en aimait la foule, l'agitation. Elle en appréciait les arts et l'histoire, mais aussi la beauté de Puget Sound et l'odeur de l'eau salée quand elle marchait ou faisait son jogging le long du bras de mer.

Mais ses frères ne vivaient pas ici. Ni ses belles-sœurs, Nicole, Jamie ou Kelly. Elles étaient devenues ses amies, et elles lui manquaient, tout comme les filles de Nicole et le ranch…

Soudain, elle se raidit et refoula toutes ses pensées mélancoliques. Elle avait fait le bon choix, elle reprenait le contrôle de sa vie tout en essayant de découvrir qui voulait à tout prix leur faire du mal, à elle et à sa famille.

— Dis à tout le monde que je vais bien. D'accord ? Je suis une grande fille. Et je n'apprécie pas que toi, Thorne et Matt ayez engagé Striker.

— Eh bien, c'est pas de veine, non ? dit-il, ce qui raviva sa colère.

Son mal de tête la faisait encore souffrir, et Randi était si épuisée qu'elle n'avait qu'une envie : s'écrouler dans son lit et dormir des jours entiers. Mais, plus que tout, elle rêvait d'être comprise par ses frères.

— Tu sais, Slade, tu peux vraiment être exaspérant, quand tu veux.

— Je fais de mon mieux, dit-il d'une voix traînante.

Elle imagina son sourire nonchalant.

— Oui, en effet. Veux-tu parler à ton nouvel employé ?

Sans attendre sa réponse, elle colla le combiné dans la main de Kurt Striker et fila droit dans sa chambre. C'était déraisonnable, mais elle en avait assez de protester et était de toute façon décidée à reprendre sa vie en main. Elle avait un bébé à élever et un travail à assurer.

Mais s'ils avaient tous raison ? Si quelqu'un te suivait vraiment ? Et Joshua ? Tu as bien envisagé que quelqu'un s'était introduit dans cet appartement, non ?

Elle passa sa chambre en revue. Rien ne semblait déplacé... ou si ? Avait-elle laissé les rideaux donnant sur la terrasse ouverts ? Est-ce que la porte de son dressing était restée entrouverte ? Elle leva les yeux, aperçut son reflet et vit une ombre de peur passer dans ses yeux. Dieu, comme elle détestait cela !

Il y eut un bruit de pas et Kurt s'arrêta à la porte de la chambre.

Randi eut soudain la gorge sèche comme du coton et, machinalement, passa la langue sur les lèvres. Le regard de Kurt vacilla, sa bouche se contracta, et le désir assombrit son regard.

L'espace d'un instant, leurs yeux se rencontrèrent. Le cœur de Randi fit un bond et le sang pulsa à ses oreilles. Elle ressentit l'étincelle d'un dangereux désir, le même que la nuit dernière.

Elle savait qu'il suffirait d'un regard, d'un geste, d'un murmure, pour qu'il entre et referme la porte derrière lui. Il la serrerait dans ses bras, l'embrasserait comme personne ne l'avait encore jamais embrassée. Ce serait un baiser passionné, animal. Ils s'étendraient sans tarder sur le lit, et feraient l'amour pendant des heures.

Il serra les lèvres et fit un pas en avant.

Randi pouvait à peine respirer.

Il tendit le bras et saisit la poignée de la porte.

Elle sentit ses jambes chanceler.

Mon Dieu ! Comme elle le désirait ! Elle s'imagina en train de le caresser, de s'allonger à son côté, enveloppée par la chaleur de son corps.

— Kurt, je…

— Chut, chérie, dit-il d'une voix râpeuse comme du papier de verre. La journée a été longue. Tu devrais te reposer.

Il lui adressa un clin d'œil, et elle crut que son cœur allait lâcher.

— Je serai dans le salon, si tu as besoin de moi.

Il sortit de la chambre et referma la porte derrière lui. Elle écouta ses pas résonner dans le couloir.

Lentement, Randi laissa échapper le souffle qu'elle avait retenu et s'affaissa sur le lit. La déception se mêlait au soulagement. Ce serait une terrible erreur de faire l'amour avec lui, elle le savait. Ils le savaient tous les deux. Les jambes tremblantes, elle alla dans la salle de bains et ouvrit l'armoire à pharmacie. Elle prit une boîte de comprimés d'ibuprofène, et s'arrêta net.

Et si quelqu'un était entré chez elle ?

Si quelqu'un avait empoisonné ses médicaments ? Sa nourriture ?

— Cette fois, tu deviens vraiment parano, murmura-t-elle, tout en jetant les comprimés dans les toilettes.

Parano, peut-être, mais vivante.

Retournant dans sa chambre, elle se glissa sous les couvertures.

Soit elle collaborait avec Striker, soit elle était contre lui. Etre avec lui serait beaucoup plus intéressant, décida-t-elle.

De plus, ensemble, ils pourraient peut-être la sortir du cauchemar que sa vie était devenue.

8.

Il était étendu près d'elle, le corps dur et lisse, les muscles tendus lorsqu'il s'appuya sur un coude pour la regarder. Ses yeux verts brillaient d'un feu séducteur qui lui donnait des frissons et promettaient en silence des plaisirs infinis. D'une main, il suivit les contours de son corps. Elle en eut des picotements et ses seins gonflèrent sous son regard intense, leurs pointes durcissant à en devenir douloureuses. Il se pencha en avant et passa sa joue rugueuse sur sa chair nue. Elle sentit le désir s'éveiller au fond d'elle et monter crescendo.

C'était mal. Elle ne devrait pas être au lit avec Kurt Striker. Où avait-elle la tête ? Comment avaient-ils pu en arriver là ? Elle connaissait à peine cet homme… et pourtant, son envie de lui était si intense, si brûlante, qu'elle balayait ses doutes. Quand il se pencha pour l'embrasser, elle sut qu'elle ne pourrait pas résister, qu'une seule caresse de ses lèvres dures sur les siennes suffirait à la perdre…

Boum !

Le bruit la réveilla en sursaut. Où se trouvait-elle ? Il faisait sombre. Et froid. Elle était seule dans le lit — son lit — et avait l'impression d'avoir dormi des heures. Sa vessie menaçait d'éclater et son estomac criait famine.

— Réveille-toi, Belle au bois dormant ! dit Kurt depuis le couloir.

Randi cligna des yeux et le vit debout dans le couloir, éclairé par la lumière vacillante projetée par le feu de cheminée, ses larges épaules touchant presque chaque côté du chambranle. Sous cet éclairage, il paraissait encore plus puissant et plus rude. Le genre d'homme à éviter.

Donc, elle avait rêvé qu'elle faisait de nouveau l'amour avec lui. Ce n'était qu'un rêve, Dieu merci ! Non pas que la douleur sourde en elle ait disparu… mais elle était dans son lit, seule et tout habillée, exactement comme quand il l'avait quittée quelques minutes auparavant. Ou cela faisait-il des heures ?

— Que… que se passe-t-il ? maugréa-t-elle en essayant de se débarrasser des réminiscences de son rêve érotique, même si une part d'elle-même voulait fermer les yeux et s'y replonger. Et qu'est devenu le « Chut, chérie, tu devrais te reposer » ? demanda-t-elle, sarcastique.

Il avança d'un pas dans la pièce.

— Mais tu t'es reposée ! Tu as dormi presque dix-huit heures. Alors maintenant, il est temps de se remuer.

— Quoi ! Dix-huit heures ?

Randi jeta un coup d'œil à son réveil : l'écran digital indiquait 13 heures.

— Ce n'est pas possible…

L'arrière-goût désagréable dans sa bouche et la pression dans sa vessie suggéraient toutefois le contraire.

En bougonnant, elle pensa à son travail. Elle était irrémédiablement en retard. Bill Withers, son patron, devait probablement être en train de rédiger sa lettre de licenciement.

— Je vais me faire virer, murmura-t-elle. Donne-moi une minute.

S'extirpant à regret de la chaleur de son duvet, elle trébucha sur l'une de ses bottes en allant vers la salle de bains. Une fois à l'intérieur, elle ferma la porte, alluma la lumière et eut un mouvement de recul en apercevant son reflet. En quelques minutes, elle se rafraîchit, s'aspergea le visage d'eau et se brossa les dents. Elle avait une tête à faire peur ! Ses cheveux rebiquaient dans tous les sens. Il n'y avait plus qu'à les mouiller pour essayer d'arranger les choses et à enlever les traces de mascara qui assombrissaient ses yeux.

Heureusement, son mal de tête avait disparu et, en sortant de la salle de bains, elle avait les idées plus claires. Elle trouva Kurt adossé au montant de la porte, l'air préoccupé.

— Qu'y a-t-il ? demanda-t-elle en bâillant.

Avant même qu'il réponde, elle sut. Il lui sembla que son cœur cessait presque de battre.

— C'est le bébé, dit-elle, figée par la peur. Joshua ! Il y a un problème ? Est-ce qu'il va bien ?

— Oui, il va bien.

— Comment le sais-tu ?

— Je fais surveiller l'appartement de Sharon Okano.

Randi sentit la panique l'envahir. Elle ramassa machinalement la botte sur laquelle elle avait trébuché.

— Tu penses vraiment qu'il pourrait lui arriver quelque chose ?

— Disons que je ne veux prendre aucun risque.

Elle enfila sa botte, puis se pencha, à la recherche de l'autre. Non, Striker s'inquiétait pour rien, se dit-elle. Joshua allait bien. Il le fallait.

— Donahue est en ville, annonça Kurt.

La nouvelle fit à Randi l'effet d'un coup de massue sur la tête. Elle se balança sur ses talons mais s'efforça de garder son calme.

— Comment l'as-tu appris ?

— Il a été aperçu.

— Par qui ?

— Quelqu'un qui travaille pour moi.

— Qui travaille pour toi ? Mes frères ont embauché tout un bataillon de gardes du corps ?

— Eric Brown et moi, on se connaît depuis des lustres. Il surveille l'appartement de Sharon Okano.

— Attends une minute ! Il l'espionne ?

Kurt lui lança un regard dur.

— Je n'ai pas envie de prendre le moindre risque.

— Et tu ne penses pas que quelqu'un qui rôde autour de chez elle ne fera qu'attirer l'attention sur son appartement ?

— Il sait rester discret.

Randi essaya de refréner le sentiment d'angoisse qui grandissait en elle.

— Ecoute, ça n'a pas de sens ! Sam n'est pas au courant pour Joshua. Il ne sait pas que j'ai été enceinte… et s'il l'avait appris, ça ne lui aurait probablement fait ni chaud ni froid.

— C'est ce que tu crois.

— J'en suis presque sûre.

— Dans ce cas, pourquoi tournerait-il autour de chez Sharon Okano ?

— Quoi ? Mais je n'en sais rien !

Le peu de calme qui lui restait s'évapora instantanément. Il fallait qu'elle récupère son bébé, s'assure qu'il allait bien. Elle se dirigea tout droit vers le dressing.

— Ça a de moins en moins de sens, murmura-t-elle en saisissant une veste.

Elle jeta un coup d'œil vers une paire de bottes noires, dont l'une était renversée. Elle ne les avait plus portées depuis l'université… son père les lui avait offertes, et elle n'avait jamais eu le courage de les jeter. Son sang se glaça quand elle s'approcha et constata que la poussière accumulée sur la tige avait été touchée. Soudain, elle eut la gorge sèche.

— Mon Dieu ! s'exclama-t-elle.

Kurt l'avait suivie dans le dressing. Il était occupé à tirer un sac de voyage d'une étagère.

— Randi ? demanda-t-il d'une voix pleine d'inquiétude. Qu'y a-t-il ?

— Quelqu'un est entré ici.

La peur fit place à la colère.

— Je veux dire, reprit-elle, à moins que tu ne sois venu dans mon dressing et que tu aies décidé d'essayer mes bottes.

— Tes bottes ?

Il balaya du regard l'intérieur du dressing pour s'arrêter sur le cuir noir et poussiéreux.

— Je ne les pas touchées depuis des mois et regarde..., dit-elle.

Déjà, il était penché et constatait par lui-même.

— Tu es certaine de ne pas...

— Non. Je te dis que quelqu'un est entré ici !

Elle tenta de calmer la panique qui menaçait, et lutta contre l'envie de donner un coup de pied dans un mur. Personne n'avait le droit de pénétrer chez elle. Personne !

— Qui d'autre possède une clé ? demanda Kurt.

— De l'appartement ?

— Oui.

— Il n'y a que moi.

— Et Donahue ?

— Non !

— Sharon ? Tes frères ?

Elle secoua la tête avec vigueur. Etait-il sourd ?

— Je te répète que je n'ai donné de double à personne, même pas pour qu'on vienne arroser mes plantes.

— Alors un voisin, au cas où tu perdrais la tienne ?

— Non ! Bon sang ! Striker, tu m'écoutes ? Il n'y a que moi. J'ai même fait changer les serrures quand j'ai acheté l'appartement, donc même le précédent propriétaire n'a pas de double qui traîne dans un de ses tiroirs.

— Où est-ce que tu gardes tes autres clés ?

— J'en ai toujours une sur moi. Une dans la voiture et une dans mon bureau, dans le tiroir du haut.

Il alla dans le salon. Randi lui emboîta le pas.

— Montre-moi, dit-il.

— Ici.

Elle ouvrit le tiroir du milieu, chercha des doigts le métal froid puis sortit la clé de sous un calendrier de l'année passée.

— Exactement là où je l'avais laissée, observa-t-elle.

— Et celle qui est dans ta voiture ?

— Je ne sais pas. Je l'avais quand j'ai eu mon accident. Je présume qu'elle est restée dans l'épave.

— Tu n'as pas demandé à la police ?

— J'étais dans le coma, tu te souviens ? A mon réveil, j'étais dans un sale état. J'avais des côtes cassées, des blessures internes, et je souffrais d'amnésie.

— La police a fait l'inventaire de tout ce qui était dans la voiture quand elle a été saisie, alors ils ont dû trouver la clé, n'est-ce pas ? insista-t-il.

— Je… Attends ! Je n'en suis pas sûre, mais il me semble qu'elle ne figurait pas sur le rapport de police. Je l'ai vu. J'en ai même une copie.

— Au ranch ?

— Non. J'ai emmené toutes mes affaires quand j'ai quitté le Montana. Il est ici, quelque part.

Randi prit sa serviette et fouilla les compartiments jusqu'à ce qu'elle retrouve une enveloppe en papier kraft. Elle contenait une copie du rapport de police sur l'accident ainsi que le reçu de l'inventaire de la voiture saisie. Elle parcourut rapidement les documents.

Des cartes routières, une carte grise, une attestation d'assurance, trois dollars soixante-dix-sept en petite monnaie, une paire de lunettes de soleil et un flacon de nettoyant pour les vitres, d'autres objets divers… mais pas de clé.

— Ils ne l'ont pas trouvée.

— Et tu ne l'as pas réclamée.

Furieuse, elle se tourna vers lui.

— Je te l'ai dit, je n'étais pas en état. Je n'y ai tout simplement pas pensé.

— Pas de chance.

Kurt serra les lèvres et plissa les yeux, l'air contrarié.

— Viens, ordonna-t-il.

Il mit la clé dans sa poche, referma le tiroir et retourna vers la chambre. En trois enjambées, il fut de nouveau dans le dressing. Il ouvrit la fermeture Eclair du sac de voyage et le lui tendit.

— Tiens. Mets-y quelques affaires. Vite. Et ne touche surtout pas à ces fichues bottes.

Striker disparut de nouveau et Randi l'entendit faire du bruit dans la cuisine. Il revint avec un sac en plastique et y glissa avec précaution les bottes poussiéreuses.

— J'ai déjà mis ton ordinateur et ta mallette dans la voiture, dit-il.

Soudain, elle comprit : il voulait lui faire quitter l'appartement. Et tout de suite, si on en jugeait par sa mâchoire serrée et son air sérieux.

— Hé ! Attends ! Je ne vais pas quitter la ville. Pas pour l'instant.

Tout allait trop vite ; elle avait l'impression de perdre tout contrôle.

— Je viens à peine de rentrer ! Je ne peux pas repartir comme ça, objecta-t-elle. J'ai des responsabilités, une vie ici.

— Nous ne partons que pour une nuit ou deux. Le temps que les choses se tassent.

— « Nous » ? Tu veux dire… toi et moi ?

— Et le bébé.

— Pour aller où ?

— En lieu sûr.

— Ici, je suis en lieu sûr.

— Et quelqu'un est entré. Quelqu'un qui a la clé de ton appartement.

— Je peux faire changer les serrures, Striker. J'ai un travail, un appartement, et…

— Et quelqu'un à tes trousses.

Prête à protester, elle ouvrit la bouche puis se ravisa. Elle devait protéger son bébé. Avant tout. Oui, il fallait qu'elle découvre qui était déterminé à la terroriser, mais il fallait d'abord mettre Joshua à l'abri. Or, pour être franche, elle était déjà morte d'inquiétude. L'air préoccupé de Striker ne faisait qu'accroître son angoisse. Elle était prête à parier qu'il n'était pas du genre à paniquer facilement et, visiblement, il était inquiet. Mon Dieu ! Elle commença à entasser des vêtements dans le sac de voyage.

— Je ne peux prendre aucun risque avec Joshua, dit-elle.

— Je sais.

Dans sa voix perçait une pointe de douceur, cachée sous le timbre grave, mais elle devait garder en tête qu'on le payait pour s'inquiéter. Bien qu'elle ne crût pas que l'argent qu'on lui avait promis était sa seule motivation, il constituait certainement un facteur déterminant. S'il sauvait sa peau et celle de son fils, son portefeuille s'en trouverait bien plus garni.

— Allez, mettons-nous en route, dit-il.

Pour l'instant, Randi était à court d'arguments. Nul doute que Striker avait connu nombre de situations délicates. S'il estimait nécessaire de les emmener, elle et son fils, et de se cacher pendant quelque temps, alors soit. Elle ferma le sac et enleva une veste en daim de son cintre. Etait-ce son imagination ou le vêtement sentait-il la cigarette ?

Voilà qu'elle devenait paranoïaque ! Personne n'avait enfilé sa veste. C'était du délire.

Serrant les dents, elle refoula la sensation qu'un intrus avait fureté dans son espace privé.

— Je suppose que tu as un plan, dit-elle.

— Exact.

Il se raidit, les bottes emballées à la main.

— Et tu ne vas pas me le révéler ?

— Pas encore.

— Tu ne peux rien me dire ?

— Pour l'instant, non.

— Pourquoi ?

— Il vaut mieux que tu ne sois pas au courant.

— Ah ! je vois… « Laissons les femmes en dehors de ça. » C'est toujours une grande idée, lança-t-elle, sarcastique. Nous ne sommes plus au Moyen Age, Striker.

Il serra davantage les lèvres, si c'était possible. Sa bouche n'était plus qu'une ligne, sa mâchoire était contractée et son expression sévère. Elle devina soudain pourquoi.

— Attends une minute… A quoi penses-tu ? Tu crois qu'il y a des micros cachés ?

Comme il ne répondait pas, elle secoua la tête, incrédule.

— Impossible !

Il lui décocha un regard qui lui glaça le sang.

— Mettons-nous en route, ordonna-t-il.

Elle ne protesta pas. Piochant dans les tiroirs de sa commode quelques affaires indispensables, elle les fourra dans le sac de voyage, puis prit son sac à main.

Quelques minutes plus tard, ils étaient à bord du pick-up de Kurt et quittaient le parking. La pluie de la veille s'était arrêtée, mais le ciel restait couvert et des nuages noirs avançaient doucement du Pacifique vers l'intérieur du pays. Randi regarda par la vitre, mais son esprit était ailleurs et fonctionnait à toute vitesse. Sam avait-il découvert l'existence de Joshua ? Il était possible, bien sûr, qu'il ait appris sa grossesse. Toutefois, elle doutait qu'il ait fait des calculs pour savoir s'il était le père. En vérité, il se moquait d'elle, et depuis le début. Elle tapota des doigts contre la vitre.

— Je ne vois pas pourquoi tu penses que simplement parce que Donahue est en ville, Joshua n'est pas en sécurité. S'il est passé devant chez Sharon, c'est sans doute un hasard, une coïncidence. Crois-moi, Sam Donahue ne s'imaginerait pas qu'il a eu un autre enfant.

Elle s'appuya contre sa portière tandis que Kurt se glissait dans la circulation dense.

— Un pick-up appartenant à Sam Donahue s'est garé devant la résidence de Sharon Okano à deux reprises cet après-midi. Pas une, mais deux. Je n'appellerais pas ça une coïncidence, et toi ?

— Moi non plus.

Sa gorge se dessécha et ses doigts se crispèrent.

— J'ai déjà vérifié les plaques d'immatriculation au service des mines. C'est ce qui a mis la puce à l'oreille de Brown. Les plaques étaient du Montana.

Le monde de Randi s'écroula. Elle porta la main au médaillon pendant à son cou.

— Mais il est rarement dans le Montana ! s'entendit-elle dire d'une voix blanche. Et je ne lui ai rien dit, pour Joshua.

— Peu importe ce que tu lui as dit. Il a très bien pu le découvrir par lui-même. Il a des attaches à Grand Hope. Des parents, une ex-femme ou deux. Les rumeurs se répandent vite. Pas besoin d'être mathématicien pour déterminer la date de conception de ton bébé.

Striker emprunta l'autoroute à quatre voies où il accéléra sur près de deux kilomètres avant de devoir ralentir. Les voitures devant lui étaient à l'arrêt et, au loin, des gyrophares de véhicules de police clignotaient.

— Génial ! marmonna-t-il.

Il sortit son portable de sa poche et composa un numéro.

— Ecoute, dit-il quelques secondes plus tard, nous sommes coincés dans un embouteillage. Un accident au nord. Ça va prendre du temps. Reste où tu es et appelle-moi si tu aperçois son camion ou s'il y a le moindre signe de Donahue.

Randi écouta et essaya de ne pas céder à la panique. Donc, Sam Donahue était dans le coin. Certes, ce n'était pas la première fois qu'il venait à Seattle. Après tout, n'était-ce pas ici qu'elle l'avait vu pour la première fois, dans un bar en bord de mer ?

— Bien. Ouvre l'œil, d'accord. Nous arrivons dès que possible.

Striker referma son téléphone et regarda vers Randi.

— Donahue n'est pas revenu.

— Je devrais peut-être l'appeler.

Un muscle tressauta dans la mâchoire de Kurt tandis qu'il fixait la route à travers le pare-brise.

— Pourquoi diable ferais-tu une chose pareille ?

— Pour découvrir ce qu'il fabrique en ville.

Striker plissa les yeux.

— Tu téléphonerais au type qui essaie de te tuer ?

— Nous ignorons si c'est lui.

Elle secoua la tête et s'appuya au dossier de son siège.

— Ça n'a pas de sens, reprit-elle. Même s'il était au courant pour Joshua, il ne voudrait rien avoir à faire avec lui.

— Dis-moi… pourquoi avez-vous rompu, lui et toi ? Non, attends, commençons par le commencement. Raconte-moi votre rencontre.

— J'avais toujours voulu écrire un livre sur le rodéo. Mes frères m'avaient dressé un tableau séduisant des compétitions de rodéo, mais ils m'ont aussi appris le côté sordide. Les paris illégaux, les faux abandons. Certains concurrents droguent leurs chevaux, ou ceux de leurs adversaires. Les animaux — taureaux, veaux et chevaux — sont parfois maltraités. C'est un sport violent, qui attire les machos qui aiment la vie de nomade. Il y a des groupies, des bagarres, des abus de médicaments, de la drogue. Beaucoup de ces cow-boys vivent dans la douleur et il y a le danger constant, en cas de chute, d'être piétinés, encornés, ou écrasés. C'est un sport qui procure beaucoup d'émotions fortes. J'ai pensé que ça ferait un livre intéressant à lire. Alors, en interrogeant des gens du métier, j'ai rencontré Sam Donahue.

Sa langue trébucha sur son nom.

— Il a grandi à Grand Hope, poursuivit-elle. Il connaissait mes frères ; il a même concouru avec Matt. J'ai commencé par l'interviewer, et une chose en amenant une autre… La suite, tu la connais.

— Comment as-tu fait pour le trouver ?

— J'avais lu qu'une compétition de rodéo se déroulait non loin d'ici, à Centralia. Sam figurait sur la liste des participants. J'ai obtenu son numéro de téléphone, je l'ai appelé et nous sommes allés prendre un verre. Mes frères ne l'appréciaient pas beaucoup, mais moi je le trouvais intéressant et charmant. Nous avions un point commun : nous avons tous deux grandi dans le Montana. Et je sortais d'une relation qui s'était mal finie. Avec le recul, je dirais que c'était une erreur, hormis le fait que j'ai eu Joshua. Mon fils vaut chaque seconde du chagrin que j'ai éprouvé.

— Quel genre de chagrin ? demanda Striker entre ses dents serrées.

Randi regarda par la vitre pour éviter son regard.

— Eh bien, tu sais… Le genre de chagrin qu'on éprouve quand on découvre que l'ex-femme n'en est pas vraiment une. Sam n'a jamais pris le temps de signer les papiers de son divorce.

Elle se sentait idiote d'avoir cru aux mensonges de ce beau parleur. Elle n'était pourtant pas naïve, elle était journaliste, bon sang ! Elle aurait dû vérifier les dires de Sam et détecter les signes. Car elle mettait un point d'honneur à ne sortir qu'avec des hommes complètement célibataires : ni fiancés, ni séparés, ni sérieusement attachés à une autre femme. Or, avec Sam Donahue, elle avait échoué, et l'avait cru quand il prétendait être séparé depuis deux ans et divorcé depuis six mois.

Ils dépassèrent enfin le lieu de l'accident, où le conducteur d'une dépanneuse treuillait une Honda mal en point sur sa remorque, et où quelques policiers parlaient avec deux jeunes gens à proximité de l'avant défoncé d'une autre voiture. Un véhicule de secouristes stationnait dans un angle et deux policiers s'entretenaient avec plusieurs jeunes garçons portant des casquettes de base-ball, qui semblaient indemnes mais choqués. Dès que le pick-up eut dépassé l'accident, la circulation redevint fluide et Striker accéléra de nouveau.

— Donc, tu ignorais qu'il était marié, reprit-il.

— Exact.

Randi ne put réprimer l'onde de chaleur qui lui chatouilla la nuque. Elle s'était montrée si stupide !

— Je savais qu'il était divorcé de sa première femme, Corinne. Patsy était sa seconde épouse. Elle l'est peut-être toujours, d'ailleurs. Quand j'ai découvert qu'il était marié, j'ai pris la poudre d'escampette.

Elle essuya du doigt la condensation de sa vitre.

— Tu l'aimais, dit-il.

La voilà, l'affirmation qu'elle fuyait, celle qu'elle ne pouvait affronter.

Striker tenait le volant fermement, comme si sa réponse importait pour lui.

— J'ai cru que je l'aimais, mais… même quand nous nous fréquentions, je savais que ce n'était pas l'homme de ma vie. Il manquait quelque chose.

Difficile d'expliquer cette confusion des sentiments.

— Le problème, c'est que quand je l'ai enfin compris, j'étais déjà enceinte.

— Alors, tu as décidé de garder ton bébé et ton secret.

— Oui.

Bizarrement, elle était soulagée de se décharger de son secret. Striker prit une bretelle de sortie et aborda le quartier où se trouvait l'appartement de Sharon Okano. Randi hésita un instant à lui raconter toute l'histoire, puis décida de lui faire confiance.

— En plus du fait que Sam m'ait caché son mariage, il avait aussi omis de me dire que lui et ses amis avaient drogué les animaux d'un concurrent juste avant une compétition. Un taureau a réagi violemment, s'est blessé, et a blessé le cow-boy qui le montait. Il l'a jeté à terre et piétiné. La bête a dû être abattue. Le cow-boy a survécu, mais dans quel état ! Il a eu des côtes cassées, un poignet brisé, le bassin écrasé et la rate éclatée.

— Pourquoi n'a-t-on pas arrêté Donahue ?

— Par manque de preuves. Personne ne l'a vu faire. Lui et ses amis ont fourni un alibi valable.

Elle jeta un coup d'œil vers Striker tandis qu'il se garait devant l'immeuble de Sharon.

— Il n'a jamais reconnu avoir drogué le taureau, continua-t-elle. Peut-être est-ce un de ses acolytes qui a procédé à l'injection, mais je suis sûre qu'il était derrière tout ça. Une intuition… confirmée par la manière dont il parlait de l'incident.

Mentalement, elle se réprimanda d'avoir été si sotte.

— J'avais déjà pris la résolution de ne plus le revoir, quand, pour couronner le tout, j'ai appris qu'il était marié. Joli, hein ?

Striker coupa le contact.

— Pas vraiment.

— Je sais.

La douleur était encore vive, mais Randi n'allait pas craquer. Pas devant Striker. Ni devant personne, d'ailleurs.

— J'ai le chic pour choisir les hommes qu'il faut, constata-t-elle amèrement.

Kurt lui toucha l'épaule.

— Soit dit en passant, Randi, tu mérites beaucoup mieux que Donahue.

Elle se tourna vers lui et découvrit qu'il la fixait. Son regard la déshabillait et, sous son expression rude, cachés au fond de ses yeux, perçaient une once de compréhension et un soupçon de compassion.

— Bon. Allons chercher ton fils.

Il lui adressa un sourire presque imperceptible, qui s'effaça rapidement, et leur bref moment de complicité s'évapora.

Le cœur de Randi se serra et des larmes menacèrent de couler.

Elle sortit rapidement du pick-up, entra dans l'immeuble et monta deux par deux les marches menant au premier étage. Impatiente de voir son bébé, elle tambourina à la porte. Sharon, une jeune femme fluette, lui ouvrit. Elle tenait Joshua dans ses bras. Clignant des yeux comme s'il venait de se réveiller d'une sieste, ses cheveux blonds hérissés, il rit en la voyant. Randi fondit à la vue de son petit garçon et les larmes qu'elle avait refoulées jusqu'alors emplirent ses yeux.

— Hé ! bonjour, mon bonhomme…, murmura-t-elle d'une voix rauque.

— Tu lui as manqué, dit Sharon en confiant le bébé aux bras avides de Randi.

— Pas autant que lui m'a manqué.

Randi étreignait son fils, tout à la joie de le tenir dans ses bras, de respirer l'odeur de shampooing dans ses cheveux et d'écouter le gazouillis qui s'échappait de sa petite bouche, quand elle entendit tousser derrière elle.

— Oh… je te présente Kurt Striker. C'est un ami de Slade. Sharon Okano, dit-elle à l'intention de Kurt.

Les sourcils froncés, elle ajouta :

— Mes frères ont décidé de l'embaucher pour être mon garde du corps. Incroyable, non ?

— Un garde du corps ? s'étonna Sharon. Tu as de sérieux ennuis alors ?

— Assez sérieux, en effet. Kurt pense qu'il vaut mieux que nous gardions le bébé avec nous.

— Comme tu veux.

Sharon caressa doucement la joue de Joshua.

— Il est adorable, tu sais. Si tu me le laissais plus longtemps, je ne suis pas sûre que je pourrais te le rendre !

— Il te faut un enfant bien à toi.

— D'abord, il me faudrait un homme ! dit Sharon. Apparemment, ils sont une partie indispensable de l'équation.

Sharon regarda Kurt, mais Randi fit mine de ne pas remarquer le sous-entendu. Elle n'avait pas besoin d'un homme pour l'aider à élever son fils. Elle s'en sortirait très bien toute seule.

Ils ne s'attardèrent pas. Pendant que Randi et Sharon préparaient les affaires de Joshua, Kurt demanda à Sharon si elle avait reçu des coups de fil ou des visites étranges. Quand Sharon rapporta que rien d'anormal ne s'était produit, Kurt appela son associé. Quinze minutes plus tard, Randi, Kurt, et Joshua, dans son siège-auto, prenaient la route en direction de l'est de Seattle. La pluie avait commencé à tomber, et un brouillard épais s'était installé.

— Tu persistes à ne pas me dire où on va ?

— Vers l'est.

— Ça, je le sais, mais où exactement ?

Comme il ne répondait pas, elle ajouta :

— J'ai un travail à assurer, tu te souviens ? Je ne peux pas m'absenter indéfiniment.

Elle regarda sa montre et fronça les sourcils en voyant qu'il était plus de 15 heures. Sortant son téléphone portable de son sac à main, elle composa le numéro du *Clarion*. Une minute plus tard, elle tombait sur la boîte vocale de Bill Withers et y laissait un court message, indiquant qu'elle avait une urgence familiale et promettant d'envoyer bientôt, par voie électronique, quelques rubriques. Puis elle raccrocha.

— Je ne sais pas si Withers va gober cette excuse, mais ça devrait nous laisser quelques jours de répit.

— Peut-être que c'est plus qu'il n'en faudra, dit-il sans conviction.

— Ecoute, Striker, il faut que nous démasquions ce malade le plus vite possible, déclara Randi. Il faut que je reprenne ma vie en main.

Le regard que Kurt lui adressa la toucha au cœur.

— Oui, moi aussi.

La garce n'allait pas s'en tirer si facilement.

A trois voitures du pick-up de Striker, ses mains gantées cramponnées au volant, le tueur roulait avec méthode, la voix de Jon Bon Jovi hurlant dans les haut-parleurs. Sur le pont suspendu, au-dessus des eaux grises du lac Washington, il passa la langue sur ses lèvres sèches.

Où allaient-ils ? Vers la banlieue chic de Bellevue ? En direction du lac Sammamish ? Peut-être plus loin, dans la vallée, ou même dans les montagnes, les Cascades ?

Peu importait.

Il sourit à l'idée de la douce vengeance qui s'annonçait.

La destination de Randi McCafferty allait devenir sa dernière demeure.

9.

— Prépare le bébé, dit Kurt en sortant de l'autoroute.

Jetant un coup d'œil dans le rétroviseur pour s'assurer qu'ils n'étaient pas suivis, il fit demi-tour en direction de l'ouest, pour sortir à l'arrêt précédent et longer une rue menant au centre de Seattle.

— Qu'est-ce que tu fais ? demanda Randi.

— Nous changeons de voiture.

Il ralentit en parvenant à un feu, s'assura qu'il n'y avait personne derrière lui puis tourna dans une rue et s'arrêta dans une station-service.

— Quoi ? Mais pourquoi ?

— Pour brouiller les pistes.

— Tu as vu quelqu'un nous suivre ?

— Non.

— Mais…

— Dépêche-toi, et grimpe dans le 4x4 marron là-bas.

Il désigna d'un mouvement de tête un véhicule cabossé aux vitres teintées, sans chromes. Le 4x4 était quelconque, les pare-chocs et les pneus couverts de boue.

— Il appartient à l'un de mes amis, dit Striker. Il nous attend ; il conduira ma voiture.

— C'est insensé, murmura Randi.

Elle détacha néanmoins le siège-auto et le sortit du pick-up, avec Joshua endormi dedans.

— Je ne suis pas de ton avis.

Rapidement, après que Randi se fut exécutée, Striker fit le plein.

Eric les attendait. Occupé à parler au téléphone tout en fumant une cigarette, il guettait Striker. Il jeta son mégot dans une flaque d'eau et adressa un rapide signe de la main à son ami. Mettant fin à son appel, il aida Randi à décharger le pick-up, puis échangea ses clés avec Kurt. L'opération se fit en moins d'une minute. Quelques secondes plus tard, Kurt était au volant de la jeep et prenait de nouveau la direction de l'ouest.

— Je ne pense pas que je pourrai supporter tous ces trucs de films d'espionnage, se plaignit Randi.

Même dans l'obscurité, Kurt distinguait la courbe de sa joue, le tracé de ses lèvres pulpeuses. Dieu du ciel, c'était une sacrée femme ! Belle, mystérieuse, sexy et un peu trop intelligente, elle était aussi dotée d'un sens de l'humour assez incisif pour blesser l'ego d'un homme.

— Mais si, tu verras, dit-il.

— Quelle que soit la somme que mes frères t'ont promise, ce n'est pas assez cher payé.

— C'est probablement vrai.

Il la regarda de nouveau, puis reporta son attention vers la route. La nuit était tombée, et la pluie avait diminué. Les pneus chuintaient sur l'asphalte humide et le grondement du moteur était doux et régulier. Dans son siège, le bébé était calme et, pour la première fois depuis des années, Kurt eut la sensation d'être en famille. Ridicule ! Cette femme était sa cliente, et l'enfant faisait partie du lot, voilà tout. Il ferait bien de garder cela en tête ! Il était son garde du corps. Point à la ligne. Sa mission consistait à la protéger et à découvrir qui essayait de la tuer.

Rien d'autre.

Et l'autre nuit au ranch, alors ? persifla sa conscience. *Tu te souviens comme tu la désirais ? Comment tu as entrepris de la séduire ? Comment peux-tu oublier l'émotion que tu as ressentie quand tu as fait glisser sa chemise de nuit sur ses épaules et dévoilé ses superbes seins ? Et son regard, où se mêlaient surprise et émerveillement, et le contour de ses lèvres, cette invitation au plaisir ? Rappelle-toi cette envie brute qui t'a conduit à lui enlever sa chemise de nuit... elle était nue, hormis un médaillon en or accroché à son cou. Tu n'as pas perdu de temps pour ôter ton jean. Tu la voulais, Striker. Plus qu'aucune autre femme ! Tu mourais d'envie de la posséder, et tu es parvenu à tes fins, n'est-ce pas ? Encore et encore. Tu as senti sa chaleur t'envelopper, tu as écouté son cœur battre à se rompre, et tu as senti ton sang courir dans tes veines. Tu étais si excité que rien n'aurait pu t'arrêter. Cette nuit-là, tu as succombé à la tentation...*

Sa nuque se contracta tandis que sa conscience continuait de le railler.

Si tu arrives à te persuader que Randi McCafferty n'est qu'une cliente parmi d'autres, alors tu es encore plus idiot que tu ne le penses !

Il était déjà tard quand la jeep rebondit sur la piste rocailleuse et moussue menant à ce que l'on pouvait tout juste appeler une cabane. Situé au fin fond d'une forêt, barricadé par un portail cadenassé dont Kurt avait, comme par miracle, la clé, l'endroit était visiblement inhabité, et depuis longtemps. Randi frissonna intérieurement quand les phares éclairèrent le bungalow miteux. Les stores baissés étaient en lambeaux, la gouttière rouillée en morceaux et le toit couvert de mousse s'affaissait pitoyablement.

— Tu es sûr de ne pas vouloir dénicher un motel de deuxième catégorie ? demanda-t-elle. Même de troisième, ce serait toujours mieux que ça !

— Pas pour l'instant.

Kurt avait déjà tiré le frein à main et coupé le contact.

— Tu n'as qu'à te dire que le lieu dégage un charme rustique, suggéra-t-il.

— En effet. C'est pour le moins rustique. Et délabré, commenta-t-elle avant de secouer la tête.

— C'était la maison d'un gardien à l'époque où cet endroit était une réserve de bois, expliqua-t-il.

— Et maintenant ?

Randi descendit de la jeep et ses bottes s'enfoncèrent dans l'humus détrempé.

— Ça fait un bail que ce chalet n'a pas été habité, dit-il.

— Un sacré bail, à mon avis ! Viens, mon bébé, il est temps de visiter notre nouvelle demeure.

Elle transporta Joshua dans son siège et monta les marches branlantes de la véranda tandis que Kurt, en s'éclairant à l'aide d'une lampe torche, déverrouillait la porte d'entrée qui s'ouvrit avec un sinistre grincement.

Il appuya sur un interrupteur. Rien.

— J'imagine que l'électricité a été coupée, observa-t-il.

— Super !

Il dénicha une lanterne et frotta une allumette. La pièce fut immédiatement inondée d'une douce lumière dorée qui ne pouvait dissimuler la poussière, les toiles d'araignées, et la désolation générale de l'endroit. Le parquet en sapin était éraflé, le plafond lambrissé taché aux endroits où la pluie s'était infiltrée, et il se dégageait du tout une odeur de moisi, résultat d'années d'abandon.

— Notre petit chez-nous…, ironisa-t-elle.

— Pour l'instant.

Kurt inspectait déjà les petites pièces, promenant sa lampe torche du sol au plafond.

— Nous n'avons pas d'électricité, mais on se débrouillera.

— Donc, ni eau chaude, ni chauffage, ni lumière.

— Il y a un poêle à bois et des lanternes. Ça devrait aller.

— Est-ce qu'il y a une salle de bains ?

Il fit un signe négatif de la tête.

— Il y a une vieille pompe à eau sous la véranda, dit-il, et si tu me donnes une minute…

Il alla fouiller quelques placards avant de revenir, un seau à la main.

— Voilà ! Des toilettes portatives à l'ancienne.

— Fiche-moi la paix, marmonna-t-elle.

— Allons, tu es une McCafferty ! La vie rustique, c'est du gâteau pour toi.

— Laisse-moi te dire une chose, Striker. Ça, c'est bien au-delà du rustique !

— J'ai entendu dire que, plus jeune, tu étais un garçon manqué.

— Slade parle beaucoup trop.

— Probablement. Il paraît que tu faisais souvent du camping.

— L'été seulement. J'avais douze ou treize ans.

— C'est comme la bicyclette. On n'oublie jamais.

— Nous verrons.

Toutefois, elle ne se plaignit pas, tandis qu'ils déchargeaient le coffre de la jeep. Des sacs de couchage, des conserves, une glacière, des ustensiles de cuisine, des assiettes en carton, des serviettes et du papier toilette.

— Tu as pensé à tout, constata-t-elle.

— Je n'ai fait que demander à Eric de nous préparer l'essentiel.

— Il y a un téléphone ?

— Nos mobiles devraient fonctionner.

Tâtonnant dans son sac à main, Randi trouva le sien, le sortit hâtivement et l'alluma. Le message sur l'écran rétro-éclairé n'était guère encourageant.

— « Recherche réseau », lut-elle à voix haute.

Un message d'échec s'ensuivit.

— Espérons que le tien fonctionne mieux.

Kurt lui adressa un bref sourire.

— J'ai déjà vérifié. Il marche.

— Et si je branchais mon ordinateur sur une prise téléphonique ?

Il haussa une épaule.

— On dirait que tu n'as pas de chance. A moins que ton portable soit pourvu d'une de ces connexions sans fil dernier cri…

— Hélas ! non.

— Dans ce cas, tu devrais être injoignable pendant un petit moment.

— Super, marmonna-t-elle. Je suppose que ce n'est pas important si je perds mon travail à cause de notre petite virée.

— Il vaut mieux perdre un travail que la vie.

Elle était sur le point de répliquer quand le bébé se mit à pleurer. Randi s'empressa de mélanger du lait en poudre à l'un des biberons d'eau qu'elle avait rapportés. Joshua mourait de faim quand Randi débarrassa un rocking-chair des chiffons qui le recouvraient. Elle tint bon en entendant des petites pattes griffer le sol, celles de souris qui venaient de s'échapper de sous les coussins. Heureusement, quand elle s'installa sur le siège, aucun couinement de protestation ne s'éleva et aucun petit rôdeur ne se précipita dans un coin.

Randi nourrit son fils, enveloppé dans une couverture, et goûta quelques instants de détente, quand Joshua cessa de pleurer et but avidement son biberon. C'était apaisant de tenir son bébé, et cela lui procurait une sensation de quiétude qui éloignait même ses peurs et ses doutes. Il la regardait tout en aspirant la tétine. Dans ces moments précieux d'échange, elle ne regrettait pas du tout sa liaison avec Sam Donahue.

Kurt était occupé à vérifier l'état du conduit de cheminée, et allumait un feu dans un antique poêle à bois. Quand les flammes commencèrent à s'élever, il se redressa et frotta ses mains l'une contre l'autre. Randi tenta de ne pas s'attarder sur sa veste qui s'étirait sur ses larges épaules, ni sur son jean qui moulait ses reins et ses fesses. Elle ne voulait pas non plus remarquer que ses cheveux tombaient en boucles désordonnées sur son front, ni que ses pommettes étaient assez saillantes pour être, peut-être, la marque d'un héritage indien.

Ce qu'il pouvait être sexy ! Trop sexy.

Comme s'il avait senti son regard sur lui, il se redressa davantage, et elle eut une vue imprenable sur son dos tandis qu'il s'étirait et avançait vers une mallette en cuir noir qu'il ouvrit. A l'intérieur se trouvait un ordinateur portable muni d'une connexion sans fil.

Une lueur d'amusement dans les yeux, il lui jeta un regard.

— Tu aurais pu m'en informer ! s'indigna Randi.

— Si je l'avais fait, je ne t'aurais pas vue t'énerver. Mais ce n'est pas la panacée. Je n'ai qu'une batterie de rechange. C'est tout. Comme il n'y a pas d'électricité, elle ne durera pas très longtemps.

— C'est déjà très bien, dit-elle en appuyant son bébé contre son épaule et en lui caressant doucement le dos. Je peux l'utiliser ?

— Si tu me paies en nature, répondit-il avec un petit sourire.

— Tu es très drôle.

— Je ne voudrais pas te décevoir.

— Aucun risque, Striker.

— Bien. Faisons en sorte de continuer comme ça.

Joshua émit un rot sonore.

— C'est bien, mon garçon, chuchota-t-elle.

Etendant sa couverture sur un matelas, elle changea la couche de son fils. Le bébé agita les jambes et éclata de rire, les yeux brillant dans la lumière du feu de cheminée.

— Oh ! tu es mieux, maintenant, hein ?

Elle joua avec lui quelques minutes, jusqu'à ce qu'il bâille et commence à se frotter les yeux. Puis elle le tint contre elle et se balança légèrement quand il appuya la tête contre son épaule. Randi ne pouvait imaginer sa vie sans ce petit bout de chou. Elle lui embrassa le front et, quand sa respiration devint régulière et sa tête lourde, elle le coucha dans le berceau improvisé qu'elle avait constitué avec des coussins et des couvertures. Lorsque ce fut fait, elle parcourut du regard la pièce morne et désolée.

— Nous sommes vraiment au milieu de nulle part.

— C'est le but recherché.

Elle passa le doigt sur une vieille table rayée couverte de poussière.

— Pas d'électricité, dit-elle. Pas d'eau courante. Encore moins un téléviseur, une radio, ou un livre qui traîne.

— Je crois que nous devrons faire avec, et inventer nous-mêmes des distractions.

Son expression était malicieuse et ses yeux brillaient d'amusement. Etonnant qu'il puisse trouver la moindre parcelle d'humour dans cette situation sordide ! se dit Randi. Elle n'apprécia toutefois pas le fait que sa gorge se dessèche quand il la regarda, ni la manière dont son cœur se mit à battre lorsqu'il leva un sourcil arrogant dans sa direction.

— Je pense que nous y arriverons très bien, dit-elle en espérant avoir l'air détaché.

En fait, sa voix était rauque et cela s'entendait. Bon sang ! Elle n'aimait pas l'idée d'être prise au piège avec lui en pleine cambrousse. Elle détestait se sentir vulnérable, non seulement face au tueur qui la traquait, mais aussi face aux émotions conflictuelles qu'elle éprouvait chaque fois qu'elle se trouvait avec Striker.

Tiens bon ! se dit-elle. *Tout ce que tu as à faire, c'est attendre que ces quelques jours passent. Ensuite, s'il mène sa mission à bien, il capturera le criminel et tu pourras reprendre une vie normale. Ton bébé et toi pourrez prendre un nouveau départ.*

A moins que quelque chose n'aille pas. Vraiment pas.

Elle leva de nouveau les yeux vers Striker.

Qu'elle le veuille ou non, elle était coincée ici avec lui.

Cela dit, il y avait pire comme compagnon d'infortune…

Moins de deux heures plus tard, le téléphone de Striker émit un son strident.

Il sauta sur l'appareil et prit rapidement l'appel.

— Striker.

— C'est Kelly. J'ai des infos.

Enfin ! Il se hissa sur un rebord de fenêtre et regarda en direction de Randi qui, une paire de lunettes sur le nez, leva les yeux de l'ordinateur portable qu'il lui avait prêté.

— Des nouvelles ? s'enquit-elle.

Il opina.

— Continue, dit-il à l'épouse de Matt.

— Je pense avoir retrouvé le véhicule qui a fait quitter la route à Randi dans Glacier Park. Un pick-up Ford marron pas mal cabossé a été retrouvé dans une casse auto, en Idaho. Rien d'officiel. J'ai eu le tuyau par un employé mécontent qui jure que le propriétaire de la casse lui doit des arriérés de salaires.

Striker contracta la mâchoire.

— Laisse-moi deviner… Il était au nom de Sam Donahue.

— Tu brûles. En fait, il appartenait à Marv Bates ou, pour être plus précise, à la petite amie de son copain Charlie.

— Tu sais où se trouve Bates ?

Randi se raidit de manière visible. Elle repoussa l'ordinateur et rejoignit Kurt.

— Nous y travaillons. La police nous aide. Mon ancien patron, Espinoza, fait tout son possible.

Roberto Espinoza était commissaire de police et enquêtait sur le cas de Randi. Kelly avait travaillé sous ses ordres avant de rendre son badge quand elle avait épousé Matt.

— Pour le moment, nous n'avons pas encore réussi à le localiser, dit-elle.

— Il avait un alibi.

— Oui. En béton. Ce bon vieux Sam Donahue et son ami Charlie Caldwell ont juré avoir passé la soirée avec Marv, chez lui, quand Randi a eu son accident. La petite amie de Charlie à l'époque, Tricia Spencer, a confirmé leur version. Seulement, Charlie et Tricia ne sont plus ensemble. Peut-être qu'elle changera de version, maintenant qu'il n'est plus l'amour de sa vie et que le pick-up qui lui appartenait est impliqué dans l'affaire. Je pense que ce n'est qu'une question de temps pour que l'un des deux craque.

— Bien. C'est un début.

— Oui, on a enfin quelque chose, approuva Kelly. Je continue mes recherches.

— Veux-tu parler à Randi ?

— Bien sûr.

Striker tendit le téléphone à Randi et l'écouta demander ce que Kelly avait découvert puis s'enquérir de sa famille. Quelques minutes plus tard, elle raccrocha.

— Enfin ! murmura-t-elle, et il perçut de l'espoir dans sa voix.

Il détesta briser ses illusions.

— Ce n'est qu'un début, Randi. Le temps nous dira si cette piste est la bonne, mais, oui, c'est déjà ça.

Il espérait que ce serait suffisant.

— Pourquoi ne vas-tu pas te coucher ? proposa-t-il en déroulant un sac de couchage qu'il plaça entre le berceau de fortune et le poêle à bois.

— Et toi, où dormiras-tu ?

— Ici.

Il cala une chaise à proximité de la porte.

Elle désigna le vieux siège du menton.

— Tu ne vas pas dormir ?

— Peut-être d'un œil.

— Tu es encore inquiet…

— Pas inquiet, juste prudent.

Randi secoua la tête, sans savoir que la lumière du feu faisait ressortir les nuances rousses de ses cheveux. En soupirant, elle commença à ôter une de ses bottes avec la pointe de l'autre.

— Je ne peux pas croire que ma vie soit devenue un tel cauchemar.

La première botte tomba, rapidement suivie de sa jumelle. Randi s'assit en tailleur sur le sac de couchage et fixa le feu.

— Je voulais juste écrire un livre, tu sais, dit-elle. Pour montrer à mon père, à mon patron, et même à mes frères, que j'étais capable de créer quelque chose d'important. Ma famille m'a prise pour une folle quand j'ai dit que je voulais étudier le journalisme à l'université. Surtout mon père. Il n'en voyait pas l'intérêt. Ce n'était pas un métier pour sa fille, estimait-il. Et lorsque j'ai décroché ce travail à Seattle, ils se sont moqués de moi. Des conseils pour les célibataires ! Mes frères voyaient ça comme une activité futile, même quand la rubrique a commencé à avoir du succès et à être publiée dans plusieurs journaux.

Elle leva les yeux vers Striker.

— Tu connais mes frères. Ils sont plutôt francs du collier, et ils ont les pieds sur terre. Je doute que Matt, Slade ou Thorne puissent demander des conseils en ce qui concerne leur vie amoureuse.

Kurt éclata de rire.

— Toi non plus, je suppose ? dit-elle.

Il leva un sourcil dans sa direction.

— Pas mon genre.

— Quant aux articles que j'ai rédigés sous le pseudonyme de R. J. McKay, c'était aussi pour la presse féminine. Alors ce livre, dit-elle en fixant le plafond comme si elle pouvait trouver une réponse dans les poutres et les chevrons couverts de toiles d'araignées, c'était une tentative pour légitimer mon métier. Malheureusement, papa est mort avant qu'il soit terminé, et ensuite les ennuis ont commencé…

Dans le mouvement qu'elle avait fait en levant la tête, son médaillon avait glissé par-dessus le col de sa chemise et Kurt le vit scintiller. Il eut soudain la bouche sèche à la vue de son cou gracile et de la courbe de son épaule et s'efforça de détourner le regard.

— Peut-être que les ennuis vont bientôt prendre fin, dit-il.

— Ce serait merveilleux ! Tu sais, j'ai toujours aimé vivre dangereusement. J'aime l'action, et je ne me suis jamais vraiment enracinée nulle part.

— Une vraie McCafferty.

Elle eut un petit rire.

— Oui, je suppose. Mais maintenant que j'ai un bébé, et avec tous les événements qui se sont produits, j'aspire au calme, à la paix. Je veux retrouver une vie normale à Seattle.

— Et ton livre ?

— Oh ! je compte bien le terminer ! affirma-t-elle avec un petit sourire.

Il nota la détermination dans sa voix, la volonté de fer derrière son sourire.

— Si nous allions dormir ? demanda-t-elle.

La question semblait innocente, mais elle rappela tout de même à Kurt des images de leur nuit d'amour.

— Quand tu veux.

— Et tu vas jouer les vigiles près de la porte ?

— Oui. Repose-toi.

— Pas avant que tu m'aies révélé ce qui t'anime, dit-elle. Allons, moi je t'ai tout raconté de ma vie. Mes rêves de journaliste, la perplexité de ma famille… Tu connais tous les hommes avec qui j'ai eu une relation ces dernières années, je t'ai parlé de mon livre. Et je t'ai même dit comment je me suis entichée d'un homme marié qui essaie peut-être de me tuer. Ce que tu caches ne peut pas être pire.

— Pourquoi crois-tu que je te cache quelque chose ?

— Tout le monde a ses secrets, Striker. Quels sont les tiens ?

Mon secret, c'est que je suis en train de tomber amoureux de toi, pensa-t-il avant de se reprendre. Non. Sa relation avec Randi McCafferty devait rester strictement professionnelle. Quoi qu'il arrive.

— J'ai été marié, dit-il en sentant les souffrances du passé lui déchirer le cœur.

— Et ?

Il marqua un temps d'hésitation. Il abordait rarement le sujet, et ne l'évoquait jamais de sa propre initiative.

— Elle a demandé le divorce.

— A cause de ton travail ?

— Non.

Il jeta un coup d'œil au bébé qui dormait si paisiblement dans ses couvertures, et se souvint de la décharge d'émotions qui s'étaient emparées de lui quand il avait vu son propre enfant pour la première fois. Il se rappela son parfum, et l'émerveillement à aimer plus que sa vie cette adorable petite fille.

— Une autre femme alors ? demanda-t-elle, et il lut la suspicion sur son visage.

— Non. Ç'aurait été plus facile, avoua-t-il. Plus propre.

— Alors, qu'est-il arrivé ? Epargne-moi les formules du genre « nous avons évolué différemment », ou « nous nous sommes éloignés ». J'y ai droit à longueur de journée dans les lettres de mes lecteurs.

— Ce qui s'est passé entre ma femme et moi ne peut pas se régler avec les conseils de ta rubrique, dit-il avec plus d'amertume qu'il ne l'aurait voulu.

— Je ne voulais pas dire ça.

Elle était un peu vexée, il le sentait.

— Bon.

— Alors, Striker, dis-moi.

Il serra les dents.

— Tu ne peux pas en parler ? dit-elle en écarquillant les yeux. Après ce que je t'ai avoué sur Donahue ? J'ai couché avec lui alors qu'il était marié. Comment crois-tu que je me sente : je n'ai rien deviné ! Bon sang, quoi que ça puisse être, ça ne peut pas être aussi humiliant !

— Nous avions une fille, dit-il d'une voix qui semblait détachée de lui. Elle s'appelait Heather.

Les souvenirs lui serrèrent la gorge.

— Je l'emmenais souvent sur notre bateau, elle adorait ça. Ma femme n'approuvait pas, elle trouvait que la mer était dangereuse. Moi, je lui répétais qu'elle était en sécurité, et c'était vrai. Jusqu'au jour où…

Son cœur était serré, comme comprimé par tout le poids de l'océan. Randi n'avait pas dit un mot mais elle était devenue pâle, comme si elle avait deviné ce qui allait suivre. Striker ferma les yeux. Il revit ce jour : la tempête qui s'annonçait à l'horizon, le moteur soudain tombé en panne…

— Jusqu'à cette dernière fois…, poursuivit-il. Heather et moi étions partis en mer. Le moteur avait calé, et j'étais en train d'essayer de le remettre en marche quand elle est tombée par-dessus bord. Pour une raison ou pour une autre, son gilet de sauvetage a glissé. C'était un accident, mais… J'ai plongé pour la sauver, seulement sa tête avait heurté la coque. Elle avait avalé trop d'eau.

Il ferma les yeux très fort.

— C'était trop tard. Je n'ai pas pu la sauver.

La douleur le torturait.

Randi resta immobile. Elle le regarda, simplement.

— Ma femme m'a tenu pour responsable, dit-il en s'adossant contre la porte. Le divorce n'a été qu'une formalité.

10.

Mon Dieu, comme elle l'avait mal jugé ! songea Randi.

— Je suis navrée, murmura-t-elle en se demandant comment on pouvait survivre à la mort de son enfant.

— Ce n'est pas ta faute.

— Et ce n'était pas la tienne. C'était un accident, affirma-t-elle.

Elle vit son regard s'assombrir.

— C'est ce que je me suis dit. Mais si je n'avais pas insisté pour l'emmener avec moi…

Il fronça les sourcils.

— Ecoute, c'est arrivé, dit-il. Ça fait plus de cinq ans. Il n'y a aucune raison d'en parler maintenant.

Randi eut de la peine pour lui. Malgré ses dénégations, la douleur en lui était encore vive.

— Tu as une photo ?

— Pardon ?

— De ta fille ?

Quand il hésita, elle se leva.

— J'aimerais la voir.

— Ce n'est pas une bonne idée.

— Ce ne serait pas la première, répondit-elle en se dirigeant vers lui.

A contrecœur, il sortit de la poche arrière de son jean son portefeuille et l'ouvrit. Randi eut la gorge serrée en voyant la photographie plastifiée d'une belle petite fille. Des couettes blondes encadraient un visage poupin photogénique. Sous ses joues roses, son petit sourire dévoilait des dents de lait parfaites.

— Elle est magnifique.

— Oui, dit-il en hochant la tête. *Etait.*

— Je suis désolée si j'ai dit quoi que ce soit qui ait pu te blesser. Je ne savais pas.

— Je n'en parle pas souvent.

— Peut-être que tu devrais.

— Non, j'en doute.

Il lui prit le portefeuille des mains et le referma.

— Si j'avais su…

— Quoi ? Qu'aurais-tu fait différemment ? demanda-t-il, l'amertume affleurant dans ses paroles. Il n'y a rien que tu puisses dire ou faire pour changer ce qui est arrivé.

Randi tendit la main pour lui caresser la joue. Il lui saisit le poignet.

— Ne fais pas ça, la prévint-il. Je ne veux pas de ta pitié ou de ta compassion.

— C'est de l'empathie.

— Qui n'a pas perdu un enfant ne peut pas comprendre, dit-il en serrant les doigts sur son poignet, le regard féroce. C'est impossible.

— Peut-être, mais ça ne signifie pas que je ne peux pas partager un peu de ta souffrance.

— Eh bien, c'est inutile. C'est *ma* souffrance. Tu ne peux rien faire.

Sa mâchoire se contracta puis il ajouta :

— Je n'aurais pas dû t'en parler.

— Si, c'est mieux comme ça.

— Comment ça ? fulmina-t-il. Dis-moi en quoi le fait que tu saches pour Heather aide de quelque manière que ce soit.

— Je te comprends mieux.

— Bon sang, Randi ! C'est bien du baratin de femmes, ça ! Tu n'as pas besoin de savoir ce qui se passe dans ma tête ou de connaître les épreuves que j'ai traversées. Tu n'étais pas là, d'accord ? Alors j'aimerais autant que tu n'essaies pas de « ressentir ma peine » ou ce genre de foutaises pseudo-psychologiques juste bonnes pour les émissions de télé. Tu as seulement besoin de faire ce que je te demande pour que ton fils et toi soyez en sécurité. Fin du chapitre.

— Pas tout à fait…, chuchota-t-elle.

Sans réfléchir, elle l'embrassa au coin des lèvres. Le besoin d'adoucir la peine de Striker était plus fort qu'elle, et presque aussi intense que son propre besoin de réconfort, de tendresse.

— Si nous devons être enfermés ici et isolés du reste du monde, alors j'ai vraiment besoin de te comprendre, déclara-t-elle.

Puis elle l'embrassa encore.

— Ne fais pas ça, dit-il d'une voix rauque.

Elle remarqua qu'il s'écartait d'elle, comme si son jean était soudain trop serré.

— Pourquoi ? demanda-t-elle.

Randi ne bougea pas d'un pouce. Elle était proche de lui au point de pouvoir sentir le cuir mouillé de sa veste. Elle se sentait téméraire, et sauvage ; elle voulait le toucher, le serrer dans ses bras, cet homme qui avait tant souffert.

— Tu sais pourquoi.

— Kurt, je veux simplement t'apporter mon aide.

— Tu ne peux pas.

Il se tourna pour la regarder droit dans les yeux, le visage seulement à quelques centimètres du sien.

— Tu ne sais donc pas à qui tu as affaire ? grommela-t-il.

— Je n'ai pas peur.

Elle lui embrassa la joue et il gémit.

— Arrête, Randi ! ordonna-t-il, mais cela sonnait davantage comme une supplique.

— Tu peux me faire confiance.

— Ce n'est pas une question de confiance.

— Ah non ? Dans ce cas pourquoi sommes-nous ici ? Seuls ? Si je ne te faisais pas confiance, tu peux être sûr que je ne serais pas isolée du monde avec toi. Crois-moi, Striker, il s'agit bien de confiance. C'est parce que tu me fais confiance que tu m'as parlé de Heather.

— Laisse-la en dehors de tout ça ! s'exclama-t-il.

— Tu as le droit d'être en colère après ce qui est arrivé à ta fille.

— Bien. Parce que je le suis, et tu ne m'aides pas sur ce coup-là.

— Vraiment ? rétorqua-t-elle, piquée au vif. Alors je suppose que je ne t'ai pas aidé l'autre nuit non plus ?

— Bon sang ! maugréa-t-il en détournant les yeux.

Il lui tenait toujours le poignet, où son pouls battait de façon irrégulière.

— Tu te souviens de cette nuit, n'est-ce pas ? Celle où tu m'observais depuis l'escalier ? Cette nuit-là, tu n'avais pas de réserves.

— C'est justement à cause de cette nuit que j'en émets maintenant. C'était une erreur.

— Tu ne le pensais pas, à ce moment-là.

— En fait, je ne pensais pas du tout. Mais j'essaie de réfléchir, à présent.

— Si je comprends bien, toi tu peux me séduire, mais pas l'inverse, c'est ça ?

Il ferma les yeux, comme pour puiser de la force en lui.

— Je ne t'ai pas amenée ici pour coucher avec toi.

— Ah bon ?

Elle l'embrassa encore, derrière l'oreille, et cette fois sa réaction fut immédiate.

Il se tourna lentement, la repoussa en arrière et la fit s'allonger sur le sac de couchage avant de se pencher sur elle.

— Randi, tu vas trop loin. Un homme ne peut pas résister indéfiniment.

— Une femme non plus. Tu ne peux pas…

Il l'interrompit en posant brusquement sa bouche sur la sienne. Il l'embrassa longuement, éperdument. Elle lui rendit son baiser, laissant la langue de Kurt passer entre ses lèvres. Elle avait le souffle coupé et crut fondre lorsque ses mains se mirent à parcourir son corps. A présent, il ne niait plus son désir ; il ne faisait plus que l'embrasser et la caresser.

Randi n'avait aucun regret. C'était ce qu'elle voulait : le toucher, physiquement et émotionnellement. Elle repoussa sa veste et défit les boutons de sa chemise. Sous l'étoffe, sa peau était chaude, la toison sur son torse drue. Du bout des doigts, elle lui caressa les pectoraux.

— Mon Dieu ! gémit-il d'une voix rauque.

D'un geste brusque, il retira sa chemise, puis glissa les mains sous celle de Randi. Elle poussa un gémissement de plaisir quand il effleura sa poitrine. Ses seins se gonflèrent de désir et leurs pointes se dressèrent. Elle voulait Kurt, de tout son être. Elle avait besoin de le sentir en elle, pour apaiser cette envie qui grandissait et la brûlait de l'intérieur. Il lui ôta son soutien-gorge puis l'enlaça. Il l'embrassa sur le visage et ses lèvres glissèrent vers son cou tandis que ses mains descendaient dans le creux de son dos pour la presser sensuellement contre lui.

Randi gémit de nouveau doucement quand sa bouche atteignit ses seins dont il caressa les pointes du bout de la langue avant de les mordiller doucement. La tête lui tourna, et elle eut l'impression que l'ombre et la lumière alternaient devant ses yeux. Elle vit le visage de Kurt enfoui entre ses seins et souleva le bassin pour l'aider à lui enlever son jean et sa culotte. Elle brûlait d'un désir si profond que, malgré sa nudité, elle ne sentait plus la fraîcheur de la pièce. Sa main chercha la ceinture de Kurt et commença à déboutonner son jean.

— Randi… Oh ! chérie…

Un son rauque lui échappa, et elle ondula des hanches lorsqu'il posa la main en haut de sa cuisse et que ses doigts effleurèrent son sexe moite. Instinctivement, elle écarta les jambes et s'offrit à ses caresses. Les yeux fermés, elle s'abandonna aux sensations que la bouche et les doigts de Kurt faisaient naître en elle.

— Encore…, murmura-t-elle lorsqu'il s'interrompit soudain.

Surprise, elle rouvrit les yeux pour le voir se débarrasser rapidement de ses vêtements et s'allonger de nouveau près d'elle.

Il l'enlaça et la fit rouler sur lui. En un instant, elle se retrouva à califourchon sur lui et sentit une vague de chaleur l'envahir au contact de son sexe dressé.

— Oh…, gémit-elle tandis qu'il la pénétrait lentement.

Elle s'immobilisa un moment pour jouir de cette sensation de plénitude, puis le monde s'évanouit quand ils commencèrent à bouger, d'abord lentement. Le désir, l'excitation, le besoin de tendresse, toutes ces émotions déferlèrent en même temps.

Randi ferma les yeux et entendit un long gémissement. Venait-il d'elle, ou de Kurt ? Elle l'ignorait, s'en moquait… Plus rien ne comptait que l'homme allongé là, cet homme qu'elle désirait et dont elle craignait d'être tombée amoureuse. Ils vivaient probablement leur dernier moment ensemble, mais peu lui importait. Tout ce qu'elle voulait, c'était faire l'amour avec lui.

Au fond d'elle, quelque chose se brisa. Non, elle voulait davantage. Tellement plus… Elle ouvrit les yeux et vit que lui aussi la regardait, qu'un désir semblable au sien brillait dans son regard.

— Oui, chérie…, murmura-t-il quand elle accéléra le rythme.

Ses mains se resserrèrent sur ses hanches tandis qu'il s'arc-boutait en cadence pour venir à sa rencontre. La sueur perla sur son front mais il n'arrêta pas pour autant.

Il accéléra encore. Une vague de plaisir emporta Randi.

— Oh… oh… oh…, cria-t-elle alors que le monde semblait exploser autour d'elle.

Elle vacilla mais Kurt la maintint fermement et continua à se mouvoir en elle. Après quelques instants, Randi répondit de nouveau à chacun de ses coups de reins, encore et encore… jusqu'à ce que l'excitation atteigne son paroxysme et qu'elle se cambre. Cette fois, ils jouirent ensemble.

— Randi…, dit-il d'une voix rauque, brisée. Oh ! mon amour…

Randi se laissa aller sur lui et sentit ses bras puissants l'enlacer. Doucement, il lui caressa la tête. Les larmes lui montèrent aux yeux tandis que ses mots résonnaient dans sa tête. Même s'il les avait prononcés dans le feu de l'action, même si elle savait qu'elle ne les entendrait jamais plus, elle se raccrocha à eux.

Randi… Oh ! mon amour…

Ces paroles n'auraient plus aucun sens demain matin, mais pour l'heure, elles lui donnaient du courage. Elle se blottit contre Kurt et savoura quelques instants de bien-être. Ce soir, elle se laisserait aller. Cette nuit, elle dormirait avec cet homme qu'il lui serait si facile d'aimer. Elle oublierait qu'il était un garde du corps, payé pour la protéger et surtout le genre d'homme dont aucune femme sensée ne tomberait amoureuse.

Amants.

Ils étaient devenus amants.

La pensée frappa Randi, tournoya dans sa tête. Elle ouvrit les yeux et constata que Kurt n'était pas à côté d'elle. Ils avaient passé la nuit à faire l'amour et maintenant…

La lumière du jour filtrait à travers les fenêtres poussiéreuses et le vieux chalet semblait encore plus misérable dans cette pâle clarté. Le bébé s'agitait et poussait de petits cris qui l'avaient tirée de son profond sommeil. Elle frissonna. Voilà, elle était nue, avait froid, et était perdue au milieu de nulle part. Et Kurt n'était pas là !

— J'arrive, mon bébé, dit-elle en enfilant ses vêtements.

Au souvenir de ce qui s'était passé la veille, et à son initiative ! elle se sentit rougir. Mais qu'est-ce qui lui avait pris ?

Honteuse, elle se pencha sur son fils et sourit devant son visage béat.

— Tu as faim ? demanda-t-elle, tout en lui changeant déjà sa couche.

Elle prépara ensuite un biberon et nourrit son fils en chantonnant doucement. La porte s'ouvrit tout à coup et elle regarda par-dessus son épaule. En voyant Kurt entrer, les bras chargés de petit bois, une onde de chaleur lui envahit la nuque.

— Bonjour, dit-il.

Le regard qu'il lui décocha lui fit revivre leur nuit d'amour. C'était elle qui l'avait aguiché, quasiment supplié de lui faire l'amour. Elle l'avait séduit, sans aucun doute, et maintenant elle se sentait mal à l'aise.

— Je crois que je devrais dire quelque chose à propos d'hier, commença-t-elle.

— Qu'y a-t-il à dire ?

— Que d'habitude, je ne me comporte pas ainsi…

— Dommage…, répondit-il avec un petit sourire en coin. J'ai trouvé ça très agréable.

— Vraiment ? Mais pourtant tu… je veux dire, tu as agi comme si c'était une erreur. Tu *as dit* que c'en était une.

— Mais c'est arrivé, pas vrai ? Je pense que nous ne devrions pas nous en vouloir après coup.

— Alors, ce n'était pas important ? demanda-t-elle, légèrement déçue.

— Si, c'était génial ! Ne commençons pas la journée par des reproches. Ça ne résoudrait rien. Comme je te l'ai déjà dit, je ne suis pas très porté sur l'analyse excessive des émotions.

Il empila le bois dans une vieille caisse qui abritait sans doute des nids d'araignées.

— J'espérais faire du café avant que tu ne te réveilles, poursuivit-il.

— Mmm. C'est une merveilleuse idée.

— J'en ai pour une minute.

Il s'essuya les mains et dénicha un paquet de café soluble.

— Je suppose, plaisanta-t-elle, que je ne peux pas avoir de lait écrémé, de la vanille, un supplément de mousse et des pépites de chocolat ?

Kurt éclata de rire.

— Tu as vécu à Seattle beaucoup trop longtemps !

— Va dire ça à mon chef, marmonna-t-elle. En fait, quand notre séjour ici sera fini… Je veux lui téléphoner. Je peux ?

— Tant que tu ne révèles pas l'endroit où nous nous trouvons.

— Ça me paraît difficile, vu que je ne sais même pas où nous sommes !

Randi finit de donner son biberon à Joshua et joua avec lui tout en lui changeant ses vêtements. Pendant que Kurt faisait chauffer de l'eau pour le café, elle berça son fils contre son épaule et appela Bill Withers. Une fois de plus, elle tomba sur sa boîte vocale et lui laissa un message.

— Il doit sûrement filtrer mes appels, bougonna-t-elle en composant le numéro de Sarah Peeples.

— Où donc es-tu passée ? s'exclama Sarah quand elle reconnut la voix de Randi. Bill a essayé de me tirer les vers du nez ! Chaque fois qu'on mentionne ton nom, on dirait qu'il va avoir une attaque.

— Je ne peux rien dire pour l'instant, mais je reviendrai…

Elle regarda Striker qui secoua la tête.

— … bientôt. Je ne sais pas exactement quand. Pendant mon absence, je vais envoyer mes pages par e-mail. Ça ne devrait pas poser de problème ; la plupart des questions que je reçois me sont envoyées sur Internet.

— Tu sais que Bill aime avoir le contrôle sur tout. Comme beaucoup d'hommes, en fait.

— Surtout quand cet homme est patron, ajouta Randi. Ecoute, s'il vient te voir, dis-lui que j'essaie de le joindre. J'ai appelé deux fois et je vais envoyer un mail dans les heures qui viennent.

— Eh bien, dépêche-toi de revenir, d'accord ?

— Je vais faire tout mon possible, la rassura Randi.

— Est-ce que je dois le dire à Joe ?

— Pardon ?

— Paterno est en ville, et il a demandé après toi.

Randi et Joe n'avaient jamais été amants, leur relation était restée purement platonique. Elle fut étonnée qu'il cherche à la revoir.

— Eh bien, dis-lui que je le contacterai quand je serai de retour, dit-elle.

Elle vit Striker se raidir imperceptiblement et regretta le manque d'intimité qui lui aurait permis de téléphoner sans qu'il entende la conversation.

— Ecoute, Sarah, il faut que j'y aille.

Avant que Sarah puisse répliquer, elle raccrocha en espérant économiser ainsi assez de batterie. Puis elle prit la tasse de café que Striker lui tendait et demanda :

— Je n'ai pas menti, n'est-ce pas ? Ce sera bientôt terminé ?

— A mon avis, oui, mais j'ai passé quelques coups de fil ce matin, avant ton réveil. Jusqu'à présent, aucune trace de Donahue.

— Tu penses qu'il se planque ?

— Peut-être.

— Ou alors ?

Randi n'aimait pas la sensation qui s'emparait d'elle.

— Ou alors… tu penses qu'il nous a suivis ?

— Je n'en sais rien. Est-ce qu'il a demandé après toi au *Clarion* ? Je t'ai entendue dire à ton amie que tu le contacterais.

— Je ne parlais pas de Sam.

Après un instant d'hésitation, elle décida de tout expliquer.

— Il s'agit de Joe Paterno. Nous étions… sommes… des amis. C'est tout. Il n'y a jamais rien eu entre nous.

Il semblait perplexe.

— Je t'assure.

Elle haussa une épaule.

— Navrée de te décevoir. J'ai l'impression que tu penses que j'ai une vie amoureuse dissolue, que j'ai couché avec tous les hommes avec qui je suis sortie. Mais c'est faux. J'ai laissé tout le monde se poser des questions sur le père de Joshua, pour le protéger. Moins de gens sauraient que Sam est le père, mieux ce serait pour Joshua et moi. Du moins, c'est ce que je croyais… Alors j'ai laissé les gens tirer leurs propres conclusions sur ma vie amoureuse.

Il y eut un silence, puis elle ajouta :

— Je n'ai peut-être pas bon goût en ce qui concerne les hommes, mais je suis quand même difficile.

— Je devrais me sentir flatté.

— Ah ! ça oui ! s'exclama-t-elle en lui décochant un regard ravageur.

Elle but une longue gorgée de café puis tourna son attention vers son bébé. Il était la raison pour laquelle tout cela arrivait, mais Randi n'aurait rien voulu changer. Toutes ces épreuves valaient la peine, pour Joshua. Même l'accident, songea-t-elle tandis qu'il gloussait et gazouillait.

A la fin de l'automne dernier, enceinte, elle avait quitté Seattle avec l'intention de retourner au ranch qu'elle venait d'hériter de son père. Elle voulait retrouver un peu de paix et avoir du temps pour écrire son livre et méditer sur sa vie.

Une fois au ranch, elle avait commis des erreurs stupides, notamment celle de renvoyer Larry Todd, le contremaître, et même laisser partir Juanita Ramirez, la bonne. Stupide ! Larry connaissait le bétail mieux que personne, et Juanita avait non seulement aidé à élever Randi et ses demi-frères, mais aussi supporté son vieux grincheux de père jusqu'à sa mort. Randi avait voulu se prouver qu'elle était capable de se débrouiller seule, avant d'avoir à s'occuper d'un bébé.

Elle croyait que vivre au ranch, retourner à ses racines et diriger l'exploitation tout en rédigeant son livre, serait la thérapie qu'il lui fallait. Elle projetait d'élever son enfant là où elle avait grandi, loin de l'agitation de la ville. De plus, elle avait toujours son travail au *Clarion*, qu'elle assurerait grâce aux e-mails et aux fax, jusqu'à ce qu'elle puisse retourner à Seattle toutes les deux semaines, voire plus souvent si nécessaire.

La perspective de devenir mère — célibataire, qui plus est — l'avait effrayée. Comment répondrait-elle aux questions que son fils ne manquerait pas de lui poser un jour sur son père ? Quand elle aurait terminé son livre et que les délits qu'elle avait découverts seraient dévoilés au grand jour, beaucoup de gens du milieu du rodéo, y compris Sam Donahue, seraient mis en examen et peut-être inculpés. Que ressentirait-elle en sachant qu'elle avait envoyé le père de son fils en prison ?

Peu importait, car elle était une McCafferty. Elle ne se dérobait jamais devant la vérité ou les choix difficiles, et avait pris le parti de tout révéler, quelles que soient les conséquences.

Elle n'en avait toutefois pas eu l'occasion. En rentrant à Grand Hope, elle avait eu son accident et accouché prématurément. A sa sortie du coma, amnésique, elle avait découvert qu'elle était devenue la mère d'un merveilleux petit garçon. Puis elle s'était doucement remise et sa mémoire était revenue, par bribes d'abord. Horrifiée, elle avait pris conscience que Sam Donahue s'était moqué d'elle, qu'il était le père de Joshua et, pis, qu'il était un criminel sans cœur.

Et maintenant…

Maintenant quoi ?

Elle se pencha vers son fils et son médaillon s'échappa de son col. Joshua rit aux éclats, tapant des mains et des pieds pour attraper le pendentif.

Le rire du bébé dissipa pour un temps ses doutes et ses inquiétudes.

A cet instant, le téléphone de Striker sonna, rompant le calme.

Il répondit sans attendre.

— Kurt Striker… Oui, elle est juste à côté de moi… je ne sais pas si c'est une bonne idée… Bon. Attends une seconde.

Randi tourna la tête et vit Kurt lui jeter un regard tel qu'elle crut que son cœur allait s'arrêter de battre. Il était arrivé quelque chose ! Quelque chose de grave.

— Qu'est-ce qu'il y a ? s'enquit-elle anxieusement.

— D'accord, passe-le-moi, dit-il à son interlocuteur sans répondre à Randi. Mais il ne me reste plus beaucoup de batterie. Alors, qu'il abrège !

Puis il tendit le téléphone à Randi.

— C'est Brown. Il a retrouvé Donahue.

Randi eut l'impression que le sol se dérobait sous ses pieds.

— Et ?

— C'est pour toi, chérie, dit Kurt avec un sourire glacial. On dirait que ce bon vieux Sam veut te parler.

11.

— Mais qu'est-ce qui se passe, bon sang, Randi ? cria Sam Donahue dans le téléphone.

Randi se prépara à affronter sa colère. Celle-ci éclata très vite.

— J'ai un type qui me colle au train, et qui me dit que je vais être arrêté parce que j'ai essayé de te tuer ou je ne sais pas quoi ! Tu sais que c'est n'importe quoi. Pourquoi je te ferais du mal ? A cause du gosse ? Oh ! je t'en prie… Le bouquin que tu es en train d'écrire ? Qui croirait à ces bobards ? J'ai un alibi en béton, alors rappelle tes chiens de garde !

— Mes chiens de garde ? répéta-t-elle alors que la ligne grésillait à son oreille.

Le son était faible, heureusement.

— Ouais ! Ce type. Brown.

— Je t'entends mal, Sam.

— … des foutaises ! C'est débile ! Il parle de la police. Bon sang ! ils arrivent… Ecoute, Randi, je ne sais pas pourquoi tout ça t'arrive. Peut-être une vengeance personnelle ou quelque chose comme ça… Vous vous trompez sur toute la ligne !

Il lança une salve de jurons qui s'éteignirent quand la batterie du téléphone commença à faiblir.

— … bon sang… je porterai plainte contre toi et tous ceux qui… arrestation illégale… pas question… Fiche-moi la paix !… Attends… Randi…

La communication fut coupée, juste au moment où le portable émit un dernier bip indiquant que la batterie était déchargée.

L'air hébété, Randi tendit l'appareil à Striker.

— Qu'est-ce qu'il voulait ?

— Clamer son innocence, répondit-elle. Il m'a dit de rappeler mes chiens de garde.

— Ce ne sont pas les tiens.

— Je n'ai pas pu lui expliquer. Il ne m'en a pas laissé l'occasion, et la communication était très mauvaise.

Elle fourra les mains dans les poches de son jean.

— Je n'avais pas l'intention de lui soutirer des aveux, reprit-elle en jetant un coup d'œil vers Joshua endormi, si angélique, si innocent.

— Est-ce que ça va ? demanda Kurt en la caressant doucement entre les omoplates.

— Oui. Ce n'était pas aussi éprouvant que je l'aurais cru. J'ai été surprise, c'est tout.

Elle eut un sourire triste.

— Tu sais, dit-elle, je croyais que je ressentirais quelque chose. De la colère, peut-être de la tristesse. Une émotion, au moins. Parce que c'est le père de mon fils. Mais tout ce que j'ai ressenti, c'est… un grand vide. Et peut-être de la mélancolie. Pas pour moi, mais pour Joshua, murmura-t-elle en haussant les épaules. Difficile à expliquer.

Elle parcourut la pièce du regard et s'arrêta de nouveau sur son fils qui, malgré la conversation tendue, dormait si paisiblement.

— Le plus étrange dans tout ça, c'est que je le crois…

— Donahue ? grommela Kurt en se dirigeant vers le feu pour y réchauffer ses mains.

— Oui. Je veux dire, il était si véhément, si indigné d'être arrêté ! Il ne semblait pas jouer la comédie.

Striker eut un rire amer.

— Tu croyais peut-être qu'il se laisserait arrêter tranquillement ?

— Non, bien sûr, mais…

— Tu le protèges encore, remarqua Kurt, les sourcils froncés. Tu sais, ce n'est pas parce qu'il est le père de ton enfant que tu lui dois une quelconque loyauté.

Piquée au vif, Randi répliqua :

— Tu veux rire ? Je ne me sens pas le moins du monde redevable envers lui. Il était marié quand je l'ai connu. *Marié* ! Il ne fréquentait pas quelqu'un, n'était pas fiancé, ce qui aurait été un moindre mal. Quand je lui ai posé la question, il a dit qu'il était divorcé, qu'il vivait séparé depuis des années et que le divorce avait été prononcé des mois auparavant. Il m'a menti sans vergogne. Et moi, idiote que j'étais, je l'ai cru !

Cette douleur familière, la honte d'avoir succombé à Donahue et avalé ses mensonges, n'était toutefois plus aussi profonde. A plusieurs reprises, elle avait imaginé le revoir, lui parler. Elle lui aurait dit soit d'aller au diable, soit de se réjouir d'avoir un fils, la chose la plus précieuse sur terre. Et elle avait espéré tirer une certaine satisfaction de cette conversation. Au lieu de cela, elle éprouvait seulement du soulagement à la pensée qu'elle n'était plus engagée avec lui. Qu'elle était ici, avec Kurt Striker. Qu'en fait, elle avait tourné la page.

Mais pour quel avenir ? Kurt ne faisait pas mystère de son besoin d'indépendance ; c'était un célibataire séduisant qui n'avait nullement l'intention de se caser. Un homme qui avait tant souffert de la mort de sa fille qu'il avait érigé autour de son cœur un mur qu'aucune femme ne pouvait franchir.

C'est ton garde du corps, Randi. Engagé et payé par tes frères pour veiller sur toi. Ne mets pas de l'amour dans cette histoire. Si tu fais ça, tout ce que tu en retireras, c'est de la souffrance.

Kurt tisonna le feu. Une gerbe d'étincelles jaillit.

— Malgré tout, tu le crois encore. Tu prends sa défense.

— Non, pas du tout. Je ne faisais que… je veux dire, s'il est coupable, d'accord. Mais… il est innocent jusqu'à preuve du contraire. C'est la loi, non ?

— Exact. C'est la loi. Je n'ai plus qu'à prouver sa culpabilité.

— Si tu y arrives.

Un muscle se contracta dans la mâchoire de Striker quand il regarda par-dessus son épaule.

— Tu verras, dit-il.

Il referma la porte du poêle à bois si fort qu'elle claqua. Joshua, surpris, se mit à pleurer.

Randi traversa la pièce et prit son bébé dans ses bras.

— Tout va bien, lui murmura-t-elle en déposant un baiser sur sa joue d'une incroyable douceur.

Joshua ne se calma pas. Ses pleurs se firent plus aigus et son nez se mit à couler.

Striker regarda le bébé et le regret assombrit ses yeux.

— Je vais voir si je peux recharger le téléphone dans la voiture. J'en ai un autre, mais il ne tient pas la charge.

Sur ce, il sortit, et une bouffée d'air froid et humide s'engouffra dans la pièce avant que la porte se referme derrière lui.

— Recharger le téléphone, mon œil ! dit Randi à son fils. Il veut juste mettre un peu de distance entre nous.

Cela lui convenait très bien, en fait. Elle aussi avait besoin de temps pour réfléchir et réconforter son fils. Qu'y avait-il donc chez Striker qui la mettait ainsi dans tous ses états ? Quand ils n'étaient pas en train de faire l'amour, ils se disputaient. Avec Kurt, elle passait du chaud au froid. Pas de juste milieu. Dès qu'il se trouvait dans la même pièce qu'elle, ses émotions étaient à fleur de peau, ses nerfs à vif.

C'est parce que tu es en train de tomber amoureuse de lui, pauvre sotte ! Tu ne le vois donc pas ? A cet instant même, tu regardes par la fenêtre, espérant l'apercevoir ! Tu es dans le pétrin, Randi. Jusqu'au cou. Si tu n'y prends pas garde, Kurt Striker te brisera le cœur.

Depuis son pick-up garé près de chez Eric Brown, le tueur raccrocha et sourit. La haute technologie, quelle merveille ! Tout ce dont on avait besoin, c'était de savoir comment mettre un micro dans un téléphone mobile. Un vrai jeu d'enfant.

De la buée s'était accumulée sur le pare-brise. Les voitures circulaient sur la route mouillée longeant le parking de l'épicerie où le pick-up était garé. Personne ne prêtait attention au véhicule sombre aux vitres teintées et embuées, ce qui rendait les choses beaucoup plus faciles.

Dépliant une carte routière, le tueur étudia la configuration du centre de l'Etat de Washington. Alors comme ça, la garce et son amant se planquaient dans les montagnes… avec l'enfant. Ils se terraient comme des lapins apeurés. Excellent. Il ne lui faudrait pas longtemps pour débusquer cette garce et la regarder détaler. La question était : dans quelle direction Randi McCafferty allait-elle filer ?

Vers son appartement, ou vers le lac ?

Ou alors en direction du ranch de papa, pour retrouver ses durs à cuire de frères ?

Vers l'ouest ?

Ou l'est ?

Aucune importance. Quel était donc ce vieil adage ? Patience et longueur de temps… Mmm, la patience était une vertu quelque peu surestimée, mais il y avait un autre proverbe… La vengeance est un plat qui se mange froid.

Froid ou chaud, peu importait. Tant que le plat était servi…

Et il le serait. Aucun doute là-dessus.

Le bébé était grognon comme si lui aussi ressentait l'atmosphère tendue entre Randi et Kurt.

Randi changea la couche de Joshua et décida d'abandonner l'article qu'elle tapait sur l'ordinateur de Striker. Elle le terminerait plus tard, quand son fils serait plus calme.

Joshua ne semblait pas au mieux depuis deux jours maintenant, et Randi ne pouvait que le comprendre. Le fait d'être coincée ici avec Kurt Striker la perturbait elle aussi. Pas étonnant que le bébé ait absorbé les ondes négatives ! Elle redoutait toutefois que les pleurs du bébé ne soient pas uniquement dus à la tension ambiante.

D'habitude, Joshua était un enfant joyeux, mais il pleurait maintenant presque constamment. Rien ne pouvait le calmer, jusqu'à ce qu'il tombe de sommeil. Son visage était plus rose que d'habitude, et son nez coulait un peu. Randi vérifia sa température, qui s'avéra un degré au-dessus de la normale. Elle observait son fils avec une vigilance accrue, tout en essayant de ne pas céder à la panique. Elle pouvait gérer la situation ; elle était sa mère, non ? Une jeune mère, certes, mais ces choses-là sont instinctives, non ? Elle saurait sûrement quoi faire. Les femmes élevaient des bébés depuis la nuit des temps, qu'elles soient mariées, célibataires, riches ou pauvres. Elle en était capable aussi.

Tout en s'évertuant à se persuader de son infaillibilité en tant que mère, elle enveloppa Joshua dans des couvertures, le tint contre elle autant que possible, et pria pour qu'il se remette très vite. Malgré cela, elle ne cessait de se demander si elle ne faisait pas tout de travers.

***

— S'il ne va pas mieux, je veux l'emmener voir un pédiatre, dit-elle à Kurt le troisième jour.

— Tu penses qu'il couve quelque chose ?

Striker venait de s'occuper du feu, et était visiblement contrarié de n'avoir pas eu de nouvelles de la police ou d'Eric Brown.

— Je veux juste m'assurer que tout va bien.

— Je ne pense pas que nous puissions partir tout de suite...

Avec une surprenante douceur, il prit Joshua des bras de Randi et, s'accroupissant, le berça comme s'il avait fait ça toute sa vie.

— Comment ça va, mon bonhomme ? demanda-t-il.

Le bébé cligna des yeux, puis fit des bulles avec sa petite bouche. Striker la regardait avec un sourire si tendre que Randi en fut émue.

— Il m'a l'air d'aller très bien, dit-il.

— Mais il est grognon depuis plusieurs jours.

— Il doit ressentir la tension de sa mère.

— Et il a un peu de température.

Il lui rendit Joshua.

— Laisse-lui un peu de temps. Il a peut-être un petit rhume, mais nous garderons un œil sur lui.

— C'est facile à dire, pour toi. Tu n'as pas d'enfant...

Sa voix s'étrangla lorsqu'elle vit tressaillir Striker.

— Oh ! mon Dieu, je suis désolée..., murmura-t-elle.

Elle aurait voulu ravaler ses paroles, mais il était trop tard : le mal était fait. Pour sûr, elle venait de lui rappeler ce jour funeste où il avait perdu sa petite fille.

— Surveille-le, lui conseilla-t-il avant de sortir.

Randi s'en voulait terriblement. Elle faillit lui courir après, mais se ravisa. Non... ils avaient tous besoin d'un peu d'espace. Elle pensa à son appartement à Seattle. Si elle était là-bas, que ferait-elle ? Elle serait seule et devrait confier Joshua à une nounou.

Oui, une professionnelle. Quelqu'un qui comprend sûrement les pleurs et les bébés grognons bien mieux que toi.

Cette pensée ne la rassura guère.

Et puis, il y avait toujours la question de savoir qui s'était introduit chez elle. Quelqu'un qui détenait une clé. Plus elle y songeait, plus elle était convaincue que quelqu'un était entré et avait fait comme chez lui. Un frisson lui parcourut la nuque. L'idée qu'on ait pu être si culotté et si fichtrement intrusif la contrariait. Evidemment, elle pouvait faire poser d'autres serrures, mais cela ne changerait rien au fait qu'elle et son bébé seraient seuls dans une ville étrangère. Bien sûr, elle avait quelques amis, mais sur qui pourrait-elle réellement compter, en cas de besoin ?

Elle regarda par la fenêtre et vit Kurt grimper dans le pick-up. Grand, dur, mais aussi gentil et humain. Le soleil illuminait son visage, faisant ressortir les mèches les plus claires de sa chevelure blonde et la barbe qui ombrait son menton. C'était un homme séduisant, compliqué, mais elle pouvait lui faire confiance. Elle pourrait aisément tomber amoureuse de lui. Elle pensa à leurs nuits d'amour, parfois enfiévrées, d'autres fois incroyablement tendres. Mordillant sa lèvre inférieure, elle se persuada que ce n'était pas un homme pour elle ; leur relation n'était qu'une aventure sans lendemain.

Tout en jouant machinalement avec son médaillon, elle observa Kurt en essayant de ne pas remarquer la façon dont son jean moulait ses longues jambes musclées, ou la forme de sa mâchoire, si terriblement masculine. Elle refusa de s'attarder sur ses larges épaules qu'elle avait caressées pendant qu'ils faisaient l'amour. Mon Dieu ! Qu'était-elle en train de faire ?

Ça ne collait pas.

Quelque chose dans la manière dont les choses se présentaient clochait.

Deux jours s'étaient écoulés depuis qu'Eric avait téléphoné et que la police avait arrêté Donahue, mais Striker avait la curieuse sensation que quelque chose n'allait pas. Qu'il passait à côté d'un point essentiel.

Il se tenait sous la véranda du chalet, les yeux rivés à une vieille poutre maîtresse qui pointait vers le ciel. Une récente pluie avait rafraîchi l'air. Ce matin, au petit jour, assis sur la balancelle cassée de la véranda, il avait aperçu une biche et ses faons, ainsi que deux lièvres et un raton-laveur qui détalaient dans les taillis de pins et d'épicéas.

A présent la nuit tombait et Striker était agité. Il ressentait ce picotement dans les doigts, celui qui annonçait toujours les ennuis. De graves ennuis.

Bien qu'il eût arrêté de fumer depuis dix ans, il rêva d'une cigarette. Ce n'était qu'en période d'angoisse, ou après quelques bières, que l'envie de tabac lui venait. Comme il n'avait pas bu une goutte d'alcool depuis des jours, ce devait être le stress de la situation.

Même le bébé était à cran. Il percevait certainement les mauvaises ondes que lui et Randi émettaient. Pendant la journée, la tension entre eux était palpable et les nuits étaient pires. Insupportables. Une pure torture car il essayait, sans y parvenir, de ne pas la toucher. Même si aucun d'eux ne voulait admettre leur attirance mutuelle, elle était bien là, tentante et érotique... Chaque nuit, ils avaient cédé à la tentation et fait l'amour intensément, comme si ce devait être leur dernière nuit ensemble.

Ce qui était probable, tout bien considéré.

Toutefois, le désir aveuglant et brûlant qu'il éprouvait pour elle était difficile à ignorer. Particulièrement durant ces nuits froides en montagne où Randi était si proche et tout aussi désireuse que lui de le toucher.

Le simple fait de repenser à son désir provoquait une tension dans son aine, assez inconfortable.

Bon sang ! Il réagissait comme un adolescent lubrique.

Frustré, il passa une main dans ses cheveux.

Heureusement, tout cela serait bientôt fini.

Oui, et après ?

Est-ce que tu vas t'en aller ?

Il serra les dents si fort qu'il en eut mal et donna un coup de pied dans une pomme de pin avec assez de force pour l'envoyer loin dans les bois. Rien n'était près de se terminer. Aussi incroyable que cela puisse paraître, Randi avait sans doute raison à propos de son ancien amant. Donahue était peut-être innocent. Son alibi était inattaquable : ses deux meilleurs amis avaient juré que tous trois se trouvaient dans une taverne en Idaho, à Spokane, au moment de l'accident. Certes, la ville était frontalière du Montana, mais ni Donahue ni aucun de ses complices n'auraient pu faire l'aller et retour.

En plus du témoignage de ses amis, un barman de la taverne se souvenait du trio infernal. Deux autres clients jouant au billard ce jour-là avaient également raconté que le remuant petit groupe avait descendu bière sur bière cet après-midi-là, jusqu'en début de soirée.

Striker s'adossa à la rambarde usée de la véranda. Il y avait peu de probabilités que Sam Donahue ait fait quitter la route à Randi ce jour-là.

A moins qu'il n'ait payé quelqu'un pour le faire…

Kurt ne pouvait pas se défaire de cette idée.

Parce que tu as envie que ce soit Donahue le coupable. Reconnais-le. Le fait qu'il soit un bon à rien et le père du bébé de Randi te rend malade. Tu n'aimes pas songer à Randi en train de faire l'amour avec lui, ou n'importe quel autre homme, d'ailleurs. Rien que d'y penser, tu as envie d'envoyer une droite dans le nez de Donahue. Bon sang, Striker, tu ferais mieux de filer maintenant ! Plus tu resteras avec elle, plus tu auras de mal à la quitter.

Contrarié par la tournure que prenaient ses pensées, il cracha par terre et fourra les mains dans les poches de son jean.

Tu n'as pas le droit d'avoir une relation avec elle. C'est ta cliente. Et tu ne veux pas d'une femme pour chambouler ta vie, qui plus est, une femme avec un enfant !

Il pensa à sa propre fille et se rendit compte que la douleur qu'il éprouvait d'habitude en songeant à elle s'estompait. Oh ! il gardait intacts tous ses souvenirs, mais ils n'étaient plus assombris par la culpabilité. Cela lui semblait mal. Il ne pourrait jamais oublier la culpabilité qu'il portait sur ses épaules. Ce fut comme un coup de couteau de se rendre compte que sa souffrance avait été atténuée grâce à Joshua. Comme si le fait de laisser Joshua entrer dans son cœur lui permettait d'apaiser la peine d'avoir perdu Heather.

— Kurt ?

La porte s'ouvrit brusquement et Randi apparut. Son cœur fit un bond en la voyant.

Ses cheveux roux et ébouriffés, ses grands yeux noisette et ses taches de rousseur l'assaillirent, et son estomac se noua. Elle avait passé la matinée à taper des pages de sa rubrique, qu'elle projetait d'envoyer par mail dès qu'ils verraient un cybercafé. Maintenant, souriant suffisamment pour découvrir ses dents blanches, elle avait une allure incroyable. Sexy, naturelle, pleine de vie comme les forêts environnantes.

— Comment va le bébé ? s'enquit-il d'une voix un poil plus rauque que d'habitude.

— Il dort. Enfin.

Les bras autour d'elle comme pour éloigner le froid, elle sortit sous la véranda et il ne put s'empêcher de regarder ses hanches moulées dans son jean. Le poids pris durant sa grossesse avait rapidement disparu, à cause de son séjour à l'hôpital. Son coma l'avait mise dans l'incapacité d'allaiter, même si elle avait essayé avec persévérance dès son réveil. Résultat, elle était mince et, pour l'heure, à en croire ses sourcils froncés, préoccupée.

Il eut envie de passer un bras autour de ses épaules, mais ne s'autorisa pas ce geste intime.

— Est-ce qu'on peut partir d'ici ? demanda-t-elle.

— Quoi ? Et quitter cette résidence grand luxe ?

Il se força à sourire et remarqua que Randi souriait aussi, malgré les plis sur son front.

— Ce sera dur, je sais. Un vrai sacrifice ! Mais je crois qu'il est temps de s'en aller.

— Pour aller où ?

— Chez moi.

— Je ne suis pas certain que ton appartement soit sûr.

— Je ne parlais pas de Seattle, dit-elle, le regard assombri par la réflexion. Je pense qu'il faut que je rentre chez moi. Au ranch. Jusqu'à ce que tout soit réglé. Je vais appeler mon rédacteur en chef et lui expliquer la situation. Il faudra qu'il me laisse travailler depuis le ranch. Il n'est pas obligé d'accepter, mais je pense qu'il le fera.

— Attends une minute... Je croyais que tu voulais tout recommencer de zéro. T'affirmer. Reprendre ta vie en main.

— Oh ! mais je le veux toujours ! Tu peux me croire, affirma-t-elle en hochant la tête comme pour se convaincre elle-même. Mais je vais le faire en étant près de ma famille.

En le dévisageant, elle leva le menton d'un cran, attitude qu'il avait appris à reconnaître comme une pure marque des McCafferty, la preuve d'un esprit libre, d'un courage qui faisait qu'il était impossible pour Randi de fuir devant l'adversité.

— Viens, Striker, partons.

Il regarda autour de lui et décida qu'elle avait raison : il était temps de rentrer dans le Montana. C'était là que cette affaire avait commencé et il était grand temps qu'elle se termine. La personne qui avait attaqué Randi l'avait fait quand celle-ci avait voulu retourner à ses racines, au ranch. Ce devait être la clé de tout. Quelqu'un avait dû se sentir menacé par son retour. Quelqu'un ne voulait pas la voir au ranch... et la détestait assez pour essayer de la tuer, et avec elle son futur bébé.

Soudain, il eut un déclic.

De nouvelles images apparurent.

Le bébé... Une fois de plus, Striker se dit que Joshua était au centre de toute cette tourmente. Les enfants avaient le pouvoir de faire ressortir les émotions les mieux enfouies. N'en avait-il pas lui-même fait l'expérience ?

Peut-être que l'agresseur de Randi n'avait qu'un seul motif en tête. Kurt ne le saisissait pas encore. Peut-être que lui, Randi, les McCafferty et même Sam Donahue avaient été manipulés. Si tel était le cas... il y avait une personne qui pouvait prendre la réussite de Randi et sa grossesse comme une humiliation. Kurt eut soudain la certitude de savoir qui était le coupable.

— Que sais-tu de Patsy Donahue ?

Randi sursauta.

— La femme de Sam, ou son ex, enfin quoi qu'elle soit ?

— Oui.

— Pas grand-chose...

Haussant une épaule, elle ajouta :

— Patsy et moi étions dans le même lycée, elle avait un an de plus que moi. Sa famille n'avait pas beaucoup d'argent, et elle s'est mariée juste après ses études, avec son premier amour, Ned Lefever.

— Tu n'étais pas amie avec elle ?

— Non, dit-elle en secouant la tête. Elle ne m'a jamais vraiment appréciée. Son père travaillait pour le mien, puis ses parents ont divorcé. Je crois même qu'elle avait le béguin pour Slade, avant Ned... enfin, c'est compliqué.

— Explique-moi. Nous avons tout le temps.

— Un jour, j'ai gagné une course de chevaux et elle m'en a voulu... Et, au lycée, Ned m'avait invitée au bal de fin d'année. Lui et Patsy étaient séparés, à ce moment-là.

— Et tu y es allée ?

— A ce bal ? Oui. Mais pas avec Ned. J'avais déjà un cavalier, et Ned ne m'intéressait pas. Je le trouvais vantard et frimeur.

Randi posa une main sur la rampe éraflée en se replongeant dans son passé.

— C'était étrange, pourtant… Toute la soirée, au bal, Patsy m'a envoyé des regards meurtriers. Comme si c'était ma faute si Ned…

Elle se figea.

— Oh ! mon Dieu ! Tu crois que Patsy est derrière ces tentatives de meurtre, n'est-ce pas ?

Kurt soutint son regard.

— J'en mettrais ma main au feu.

12.

— Comment a-t-elle bien pu se retrouver avec un type comme Donahue ? grommela Matt en s'adressant à Slade.

Il dessella Diablo rojo, son pur-sang. L'appaloosa tourna la tête avec l'intention manifeste de mordre la jambe de Matt. Celui-ci esquiva l'attaque avec agilité.

— Tu croyais m'avoir, hein ? murmura-t-il au cheval rétif.

Diablo rojo émit un grognement, frappa le sol du sabot et secoua la tête. Matt, Slade et Larry Todd, le contremaître récemment réengagé, avaient passé la matinée à parcourir les terres du ranch à cheval, à la recherche de veaux égarés. Le printemps était encore loin et, depuis Noël, le temps n'avait pas été clément. Une épaisse couche de neige couvrait l'avant-toit de l'écurie.

Larry avait déjà filé, mais Slade et Matt étaient occupés à soigner leurs chevaux, maintenant que trois veaux frigorifiés et gémissants avaient retrouvé leur mère. Il faisait chaud, dans l'écurie ; cela sentait la poussière, la paille sèche et les chevaux. Des odeurs avec lesquelles Matt avait grandi. Harold, le vieil épagneul infirme de leur père, était couché près de la porte de la sellerie, et agitait la queue chaque fois que Matt regardait dans sa direction.

Slade retira la bride de Général, et le grand hongre le repoussa d'un coup de tête. Slade caressa la tache blanche entre les yeux du cheval.

— Je ne crois pas que Randi avait prévu d'avoir une relation avec Donahue.

Les deux frères discutaient de la situation de leur sœur depuis le matin, avec l'espoir de trouver quelques réponses à leurs nombreuses questions.

— Bon sang ! Il était toujours marié… Je parie que Patsy a fait un sacré raffut quand elle l'a appris.

Slade acquiesça.

— Oui, elle a toujours été soupe-au-lait. Elle n'a jamais aimé Randi, et ça ne s'est pas arrangé à partir du jour où Randi l'a battue dans une compétition, au lycée.

— Quelle compétition ?

Slade prit une pelletée d'avoine dans un tonneau. Général, toujours partant pour manger, hennit doucement. Il eut à peine le temps de verser les céréales dans la mangeoire, que le vieil alezan se mettait déjà à mâcher bruyamment.

— Je ne sais plus trop… Je n'étais pas là, mais papa en a parlé une fois. Ça devait être une course de chevaux, oui, une course d'obstacles. Randi a battu Patsy, et Patsy s'est vengée la semaine suivante au lycée.

Slade se mit à brosser le dos de Général.

— Je crois bien qu'elle avait le béguin pour moi, dit-il.

— Tu crois toujours que toutes les femmes ont un faible pour toi.

— Ne va pas dire ça à Jamie ! s'exclama Slade.

Matt rit et entreprit de nourrir Diablo rojo.

— Juste après le lycée, Patsy s'est mariée avec Ned Lefever. Quelques années plus tard, ils ont divorcé, et peu de temps après, elle est sortie avec Donahue et l'a épousé. Ça a vraiment dû lui faire un choc qu'il finisse par la tromper avec une ancienne rivale.

— Les femmes humiliées sont capables de tout, marmonna Slade au moment où la porte de l'écurie s'ouvrait et que Kelly, les yeux brillants et les joues rouges, entrait en trombe.

Harold aboya rudement.

— Chut ! l'admonesta Kelly en se baissant pour caresser la tête du chien.

La neige s'était accumulée sur ses cheveux et fondait doucement. Pour Matt, comme toujours, elle était la plus charmante et la plus sexy des femmes.

— Je viens d'avoir un appel de Striker, annonça-t-elle en se relevant. Lui et Randi sont sur le chemin du retour, et devinez quoi ? Ils pensent que Patsy Donahue est derrière toute cette histoire.

Matt et Slade échangèrent un regard.

— Je viens d'appeler Espinoza, continua Kelly. La police est à sa recherche pour lui poser quelques questions. J'ai téléphoné à l'ex-petite amie de Charlie Caldwell, et devinez qui lui a remis les clés de la Ford qui a fait quitter la route à la jeep de Randi ? Cette bonne vieille Patsy.

Slade afficha un large sourire.

— Ton mari et moi venons juste d'avoir la même idée, dit-il.

— Pas possible !

— Je te le jure sur ma tête ! s'exclama Matt en levant sa main gantée comme pour prêter serment dans un tribunal.

— Génial. Désormais, vous pouvez être détectives à titre honorifique, ou ouvrir votre propre agence.

Matt sortit de la stalle de Diablo rojo.

— Je n'ai pas droit à un petit baiser pour me récompenser d'avoir été si intelligent ? plaisanta-t-il.

— Si tu es si malin, pourquoi n'as-tu pas eu cette idée il y a des mois ? Ça nous aurait évité beaucoup de chagrin. Oublie le baiser, McCafferty ! lança-t-elle avec un clin d'œil.

Elle retourna vers la porte.

— Bon ! Si nous allions trouver Patsy pour avoir une petite discussion ? proposa-t-elle.

— Je crois que tu devrais laisser la police s'en charger, dit Matt.

— Mais j'ai été dans la police, tu te souviens ?

— Oui, mais maintenant, tu es ma femme, et la mère de mon futur enfant. Patsy pourrait être dangereuse.

— Je n'ai pas peur.

— Tu parles comme une vraie McCafferty, commenta Slade en quittant le box de Général et en refermant soigneusement le loquet. Mais tu devrais peut-être laisser cela aux frères McCafferty.

— Nous sommes comme les trois mousquetaires. Laisse ça aux hommes, renchérit Matt.

Il ouvrit la porte de l'écurie, et une rafale de vent glacé s'engouffra à l'intérieur.

— Ne rêvez pas, les garçons…

Kelly rajusta son écharpe autour de son cou en avançant péniblement dans la neige pour rejoindre la maison. Non loin de l'écurie, les restes de l'étable, noircis et calcinés, contrastaient avec le manteau de neige immaculé.

— Ecoute, dit Kelly en lançant à son mari un regard décidé. Je me suis occupée de cette affaire depuis le début. Patsy Donahue est à moi.

— Devine quoi ? dit Kurt en refermant son téléphone portable.

Ils roulaient en direction de l'est, dans l'Idaho, et approchaient de la frontière du Montana. La nuit tombait rapidement, et les épais nuages qui recouvraient les montagnes enneigées ne laissaient apparaître aucune étoile.

— C'était Kelly. Elle, Espinoza et tes frères sont allés chez Patsy Donahue.

— Je connais la suite, répondit Randi en remontant la fermeture Eclair de sa veste. Elle n'est pas là.

— Exact. Elle n'est pas rentrée chez elle depuis des jours, si l'on en croit la pile de courrier qui déborde de sa boîte aux lettres.

— Génial.

Randi se sentit découragée. Ce cauchemar se terminerait-il un jour ? C'était fou de penser qu'une seule femme pouvait causer tant de dégâts, être aussi dangereuse et aussi désespérée. Patsy la détestait-elle au point d'avoir essayé de la tuer ? De tuer son bébé ? De faire du mal à ses frères ?

— Je ne comprends toujours pas, dit-elle en se tournant vers la banquette arrière pour surveiller son fils.

Bercé par le ronronnement du moteur et le mouvement des roues, Joshua dormait à poings fermés, blotti dans son siège-auto.

— Pourquoi s'en prendre au ranch ? Je veux dire… si c'est à moi qu'elle en veut, pourquoi s'en prendre à mes frères ?

— Je vais te dire comment je vois les choses : l'accident de Thorne était un accident. Patsy n'a rien à voir là-dedans. Mais les attaques te concernant étaient personnelles, et l'incendie de l'étable était destiné à te faire peur, à maintenir un climat de terreur.

— Eh bien, ça a marché. Slade a failli y perdre la vie, et les bêtes aussi… Bonté divine, pourquoi avoir mis les animaux en danger ?

Elle se mordilla la lèvre inférieure et fixa les flocons qui tourbillonnaient lentement. Des buissons de sauge argentée et de pins nains pointaient dans le paysage couvert de neige, mais la route était dégagée, les phares du véhicule de Striker éclairant loin devant eux.

— Elle est en colère. Pas seulement contre toi, mais aussi contre ta famille. Probablement parce qu'elle n'a pas vraiment eu de famille. De plus, tu détiens la part du lion, dans le ranch. Elle a dû penser qu'attaquer le ranch et tes frères serait le meilleur moyen de t'atteindre.

Il jeta un coup d'œil dans le rétroviseur.

— Je me sens bête de ne pas y avoir pensé plus tôt, avoua-t-il.

— Personne n'avait envisagé cela, reconnut-elle en se disant que cette pensée n'était guère réconfortante.

Quand ils arriveraient au ranch, peut-être que Patsy serait en prison. En silence, Randi croisa les doigts.

— Et qu'est-ce qui va arriver à Sam ?

— Ils sont en train de l'interroger. Ce n'est pas parce qu'il ne s'est pas attaqué à toi que ce n'est pas un criminel. Si tu témoignes qu'il a maltraité des animaux, fait des paris illégaux, perdu des compétitions volontairement, ça nous fera un bon début pour le traîner en justice. Impossible de dire ce que les autorités vont découvrir de plus en menant l'enquête, maintenant qu'on leur a indiqué la bonne direction.

— Bien sûr que je témoignerai !

— Ce ne sera pas facile, tu sais. Il sera assis face à toi, à te regarder, à écouter chacune de tes paroles.

— Je sais comment ça se passe, rétorqua-t-elle.

Ils traversaient une petite ville, où seules quelques fenêtres étaient éclairées dans les maisons éparpillées le long de la route. Puis ils passèrent devant une scierie où des chariots élévateurs dormaient dans des hangars obscurs ouverts sur un parking recouvert de gravier et d'un tas de sciure haut de plusieurs mètres.

— Mais la vérité est la vérité, poursuivit Randi, quels que soient ceux qui l'entendent ! Crois-moi, je ne ressens plus rien pour Sam Donahue. Si je n'avais pas eu mon accident, j'aurais réuni toutes les preuves que j'ai accumulées contre lui, et je serais allée voir la commission du rodéo ainsi que les autorités.

Elle s'adossa à son siège et soupira.

— Avant, je m'inquiétais. Je me demandais comment j'allais affronter le père de Joshua. Mais c'est terminé. Maintenant, je suis certaine de pouvoir lui faire face. Pour moi, Sam est un simple géniteur. Il en faut bien plus pour faire un père.

Le bébé se mit à tousser et Randi se tourna vers lui. Kurt jeta également un coup d'œil. Joshua avait le visage rouge, les yeux vitreux.

— Combien de temps encore avant d'arriver à Grand Hope ? demanda Randi.

— Huit ou neuf heures, probablement.

— Je me fais du souci pour le bébé.

— Moi aussi, avoua Kurt en regardant droit devant lui.

Comme s'il savait que l'on parlait de lui, Joshua laissa échapper un petit geignement.

— Passe-moi le téléphone, dit Randi.

Elle ne pouvait pas attendre une minute de plus. L'état de Joshua ne s'améliorait pas du tout. En fait, il empirait et la panique s'emparait d'elle. Kurt lui tendit l'appareil et Randi, en essayant de respirer calmement, composa le numéro du ranch après avoir branché l'adaptateur sur l'allume-cigare.

— Bonjour, vous êtes au M Volant, annonça Juanita avec un accent presque imperceptible.

Randi crut fondre de soulagement en entendant la voix de l'employée de maison.

— Juanita, c'est Randi.

— Oh ! Mademoiselle Randi ! *Dios !* Où êtes-vous ? Et le *niño* ? Comment va-t-il ?

— C'est pour cela que j'appelle. Nous rentrons au ranch, mais Joshua a de la fièvre et je m'inquiète pour lui. Est-ce que Nicole est là ?

— Non. Elle est avec votre frère, dans leur nouvelle maison. Ils avaient rendez-vous avec le constructeur.

— Vous avez son numéro de portable ?

— *Si !*

Prestement, Juanita lui communiqua le numéro de Nicole ainsi que celui de Thorne.

— Appelez-les tout de suite. Et gardez le bébé au chaud.

Juanita ajouta quelque chose en espagnol que Randi interpréta comme une prière avant de raccrocher. Sans attendre, elle appela Nicole. Elle avait fait admettre Randi à l'hôpital St-James après son accident et, avec l'aide du Dr Arnold, un pédiatre travaillant également à l'hôpital, avait pris soin de Joshua pendant les premières heures délicates de sa vie.

— Fais-le boire régulièrement, conseilla Nicole. Surveille sa température et garde-le au chaud. Je vais prévenir Gus Arnold. C'est toujours ton pédiatre, non ?

— Oui.

— Alors, tu es entre de bonnes mains. Gus est le meilleur. Je vais m'assurer que lui ou un de ses collègues sera à l'hôpital pour nous accueillir. Vers quelle heure pensez-vous arriver ?

— Selon Kurt, dans huit ou neuf heures. Je rappellerai quand nous serons presque arrivés.

— Je serai présente, la rassura Nicole, et Randi lui en fut reconnaissante. Bon, et toi, comment vas-tu ?

— Bien, répondit Randi même si c'était faux. Mais je suis impatiente de rentrer à la maison.

— Evidemment ! Oh… Pardon ?

La voix de Nicole diminua tout à coup et Randi entendit seulement une partie de la conversation.

— Ecoute, ton frère veut absolument te parler, reprit Nicole après un instant. Tu veux bien lui faire plaisir ?

— Bien sûr.

— Randi ?

En entendant la voix de Thorne, Randi eut une subite envie de fondre en larmes.

— Mais qu'est-ce qui se passe, bon sang ? s'exclama-t-il. Kelly pense que Patsy Donahue est derrière tous ces ennuis.

— Il semble que ce soit le cas.

— Et maintenant, elle aurait disparu ? Comment se fait-il que Striker ne l'ait pas retrouvée ?

— Parce qu'il est occupé à veiller sur moi, répliqua Randi sur la défensive.

Personne ne pouvait blâmer Kurt, pas même ses frères. Du coin de l'œil, elle vit Kurt grimacer et serrer le volant encore plus fort.

— Il a mis quelqu'un sur le coup, dit-elle.

— Espinoza aussi, mais personne ne semble capable de mettre la main sur cette cinglée ! Il est temps de prévenir le FBI, la CIA, la police d'Etat et les shérifs fédéraux !

— On la retrouvera, c'est juste une question de temps, le rassura Randi.

Néanmoins, elle aussi doutait.

— Le plus tôt sera le mieux ! Et comment va John Junior ?

— *Joshua* a de la fièvre, il a un rhume. Je dois retrouver Nicole à l'hôpital St-James.

— J'y serai aussi.

— Toi ? Le P.-D.G. débordé ? Tu n'as rien de mieux à faire ? plaisanta-t-elle.

Thorne se mit à rire.

— Si, d'ailleurs, je dois choisir la couleur des murs de la maison. Je penche pour du blanc.

— Ça ne m'étonne pas de toi, tu es si conformiste !

— Eh bien, répondit-il en riant toujours, il fait trop sombre et trop froid pour prendre d'autres décisions ce soir. Voilà ce qui arrive quand on est marié à un docteur qui travaille soixante ou soixante-dix heures par semaine et qui en plus est retenue à l'hôpital.

— Pauvre chou ! le taquina Randi.

— Oh oh… ils ont besoin de moi, dit-il, mais la communication était hachée. Je crois… vais vérifier… te vois dans quelques heures…

— Thorne ? Tu es là ?

Des grésillements se firent entendre.

— Randi ?

La voix de Thorne était de nouveau redevenue audible.

— Oui ?

— Je suis content que tu sois de retour à la maison.

— Moi aussi, murmura-t-elle.

Randi eut la gorge serrée d'émotion en se représentant l'aîné de ses frères, avec ses cheveux noirs et ses yeux d'un gris intense. Elle l'imagina le visage contracté par l'inquiétude.

— Mes amitiés à…

La communication fut brusquement coupée, comme ils s'enfonçaient dans les montagnes. A contrecœur, Randi referma le clapet du téléphone.

— Il veut savoir pourquoi je ne suis toujours pas à la recherche de Patsy, supposa Striker, les dents serrées.

— Il veut savoir pourquoi personne n'a suivi Patsy. Ton nom est venu dans la conversation, oui, mais celui d'Espinoza aussi. Et celui de toutes les polices du pays ! Thorne est comme ça. Quand il donne un ordre, il attend un résultat immédiat, et quand je dis immédiat, c'est im-mé-diat. Or, c'est impossible, évidemment.

— Je pense comme lui… Plus vite on mettra la main sur Patsy Donahue, mieux ce sera.

Randi aurait voulu être de son avis, mais une part d'elle-même hésitait. Dès l'instant où Patsy serait localisée et arrêtée, Kurt s'en irait. Il sortirait de sa vie, pour toujours. Son cœur se serra à cette pensée. Pourrait-elle le laisser partir ? C'était vraiment idiot ! Elle le connaissait depuis un mois à peine, et intensément depuis seulement une semaine.

Pourtant, il allait lui manquer.

Plus qu'elle ne l'aurait jamais cru possible.

Leur voyage en pleine nuit vers le Montana semblait maudit. La fièvre de Joshua montait, le blizzard se levait, et quelque part dans la nuit, Patsy Donahue préparait une nouvelle attaque. Randi le pressentait confusément. Elle frissonna.

— Tu as froid ? demanda Kurt en montant le chauffage.

— Non, ça va. Je vais bien.

Elle mentait et ils le savaient tous les deux. Chaque fois qu'un véhicule s'approchait, Randi se crispait, s'attendant à ce que le conducteur pousse le pick-up de Kurt hors de la route. Elle pria en silence pour qu'ils arrivent à Grand Hope sans incident, pour que le bébé guérisse rapidement, et pour que Kurt Striker fasse partie de sa vie, pour toujours. C'était difficile à admettre, elle l'avait longtemps nié, mais c'était la vérité : Randi McCafferty était tombée amoureuse de Kurt Striker.

Patsy tapota de ses doigts gantés sur le volant d'un pick-up volé devant un bar d'autoroute de l'Idaho. Personne ne pourrait remonter jusqu'à elle. Elle avait laissé son propre pick-up sur une route déserte près de Dalles, dans l'Oregon, pris un bus en direction de l'est jusqu'à ce bar, où elle avait repéré ce véhicule sur lequel elle avait fixé des plaques d'immatriculation qu'elle avait fait faire à Seattle. Le temps que quelqu'un rassemble toutes les pièces du puzzle, il serait trop tard. Elle était sur les traces de la jeep de Striker. Ils la devançaient d'une heure environ, mais elle les rattraperait. Cela prendrait du temps, mais elle finirait par faire payer cette garce.

Et la facture serait lourde, très lourde.

Le pick-up filait sur l'autoroute. Patsy ne s'arrêta pas une seconde. Elle avait roulé sur des routes enneigées toute sa vie, et elle n'avait pas peur.

A l'aube, sa mission serait accomplie.

Randi McCafferty et tous ceux qui étaient assez stupides pour l'accompagner seraient morts.

13.

Le bébé n'arrêtait pas de pleurer.

Randi avait beau faire, rien n'arrêtait les pleurs de son fils, et Striker se sentait impuissant. Il roulait aussi vite que possible, pendant que Randi se tournait sur son siège, essayant de donner à boire à Joshua, de le réconforter, mais sans succès.

Striker serra les dents, et espéra que la fièvre du petit n'était pas montée. Il savait la douleur de perdre un enfant. Il fallait qu'il fasse quelque chose, il devait faire *tout* ce qui était en son pouvoir pour éviter qu'il n'arrive quoi que ce soit à ce petit bonhomme.

Il accéléra encore, mais la route à présent était difficile. Ils traversaient les contreforts des Rocheuses et ce n'étaient que virages en épingle à cheveux et pentes raides.

— Il est encore très chaud, dit Randi en touchant la joue de son fils.

— Nous serons arrivés dans moins d'une heure, la rassura Striker. Tenez bon.

— S'il le peut, murmura-t-elle d'une voix rauque.

Striker eut le cœur déchiré d'entendre son désespoir.

— C'est bon signe qu'il pleure au lieu d'être apathique, dit-il tout en sachant que c'était une piètre consolation.

— J'imagine que oui. Peut-être devrions-nous nous arrêter et trouver une clinique.

— Ici, dans ces petites villes reculées ? A 3 heures du matin ? Non. St-James est l'hôpital le plus proche. Appelle Nicole et dis-lui que nous serons là dans trois quarts d'heure.

— D'accord.

Elle tendit la main vers le téléphone pendant que Striker jetait un coup d'œil dans le rétroviseur.

Des phares approchaient d'eux, et vite. Il roulait à près de quatre-vingt-dix kilomètres à l'heure dans les parties droites de cette autoroute sinueuse et traître. Dans les virages, il avait dû ralentir à cinquante kilomètres à l'heure, et c'est alors qu'il avait repéré le véhicule derrière lui.

— Tiens bon, dit-il.

— Quoi ?

— Une voiture nous suit, elle approche. Il vaut mieux que je la laisse nous dépasser.

Il ralentit et l'autre véhicule, de couleur sombre hormis ses jantes brillantes, le doubla.

— On le retrouvera probablement la tête à l'envers, au fond d'un fossé.

— Génial, murmura-t-elle.

Là-dessus, il prit un virage un peu trop rapidement et les pneus crissèrent, aussi leva-t-il le pied. Alors qu'il passait devant une exploitation de bois, il crut voir un véhicule sombre. A l'arrêt, tous feux éteints, mais avec des gaz d'échappement s'évaporant dans l'air froid de la nuit. Le même malade qui les avait dépassés ? Kurt sentit ses poils se hérisser.

Il faisait trop noir pour en être certain, et il se dit qu'il devenait paranoïaque. Personne de sensé ne resterait assis dans son pick-up en pleine nuit. Son estomac se noua. Bien sûr, personne de *sensé* ne le ferait. Mais une femme qui n'avait plus le contrôle de ses facultés, une femme prête à tout pour se venger, une femme comme Patsy Donahue ?

Impossible, Striker ! Tu es épuisé, et tu te fais des idées. C'est tout.

Ressaisis-toi.

Il regarda dans le rétroviseur et ne vit rien. Pas de phares allumés sous la neige tombant à gros flocons… Ou si ? Y avait-il un véhicule qui le suivait ? Un véhicule aux phares éteints, qui se servait des feux arrière de son pick-up pour se diriger ? Soudain, il eut la bouche sèche. L'image prit forme, puis s'évanouit. Son esprit lui jouait des tours, se dit-il. Rien de plus. Du moins l'espérait-il.

— Qu'est-ce que tu as ? demanda Randi en percevant son anxiété.

Le bébé pleurait toujours, mais plus doucement à présent. La route était raide et sinueuse, et Striker ralentit pour ne pas risquer de perdre le contrôle.

— Regarde derrière nous. Tu vois quelque chose ?

Randi se retourna et regarda par le pare-brise arrière en plissant les yeux.

— Non. Pourquoi ?

Il se renfrogna.

— J'ai eu l'impression de voir quelque chose. Une ombre.

— Une ombre ?

— Celle d'une voiture. J'ai cru qu'on nous suivait avec les phares éteints.

— Sur cette route ? Dans le noir ? demanda-t-elle.

Retenant son souffle, elle regarda de nouveau.

— Je ne vois rien du tout.

— Bien.

Il éprouva un bref soulagement. C'était le pire des endroits pour rencontrer le danger. La route ne comportait que deux voies. D'un côté, les montagnes raides ; de l'autre, une mince glissière de sécurité et, au-delà, un escarpement abrupt. Dans les virages, seules les cimes des arbres étaient visibles dans la lumière des phares.

Randi ne cessait de regarder par la vitre, scrutant l'obscurité en se cramponnant au dossier du siège, à tel point que ses articulations étaient devenues blanches.

Elle aussi était inquiète, songea Kurt. Sur le volant ses mains devinrent moites, mais il se dit qu'ils étaient en vie et qu'ils seraient bientôt arrivés. Il ne leur restait plus que quelques kilomètres à parcourir. Il revit comment, ces dernières semaines, il était tombé amoureux fou de Randi McCafferty.

En jetant un regard dans sa direction, il eut le cœur rempli d'allégresse. Il ne pouvait pas imaginer sa vie sans elle ou sans le petit Joshua. Après la mort de Heather, il s'était juré de ne plus jamais s'attacher à une femme ou à un enfant, et il venait de rompre le pacte conclu avec lui-même. Il était trop tard pour changer d'avis ; son cœur obstiné ne le laisserait pas faire. Peut-être était-il temps de parler à Randi, de se montrer honnête. De lui faire savoir ce qu'il ressentait pour elle.

Pourquoi ?

Allons, Striker, es-tu à ce point imbu de ta personne pour croire qu'elle t'aime aussi ? Et l'enfant ? N'avais-tu pas juré de renoncer à la paternité ? Qu'est-ce qui te prend d'envisager de devenir père de nouveau ? Pourquoi t'exposerais-tu à cette souffrance encore une fois ? Tu penses vraiment que tu es capable d'être un parent ?

Les arguments se bousculaient dans sa tête. Malgré tout, il se devait de tout lui dire.

— Randi ?

— Oui ?

Elle regardait toujours par le pare-brise arrière.

— A propos des nuits dernières…

— S'il te plaît, l'interrompit-elle sans le regarder. Tu n'as pas à me donner d'explications. Aucun de nous n'avait prévu ce qui est arrivé.

— Mais tu as le droit de savoir ce que je ressens.

Il la vit se raidir. Elle déglutit avant de répondre :

— Peut-être que je ne veux pas le savoir, justement, dit-elle avant de retenir son souffle. Oh non !

— Quoi ?

— Je crois… je crois qu'il y a bien quelqu'un derrière nous. Parfois, je vois quelque chose et ça disparaît. Tu ne crois pas que…

Kurt scruta le rétroviseur.

— Bon sang !

Il le distingua aussi. Un véhicule sombre, aux phares éteints, roulant à l'aveugle, approchant dangereusement, zigzaguant d'un côté à l'autre de la route, puis se fondant dans la nuit. Kurt appuya sur l'accélérateur.

— Garde un œil sur la voiture et appelle la police, ordonna-t-il.

Elle prit le téléphone et composa le numéro.

Rien.

— Zut !

Elle essaya encore, et n'obtint qu'un bip du téléphone.

— Pas de tonalité, dit-elle en fixant le pare-brise arrière tandis que Joshua se remettait à pleurer.

— Essaie encore.

Kurt prit un virage un peu trop vite ; les roues crissèrent et ils se retrouvèrent sur la voie d'en face.

— Bon sang ! pesta-t-il.

— Il approche ! cria Randi.

Kurt voyait bien le véhicule à présent, menaçant, dangereusement proche tandis qu'il accélérait encore.

— Tu crois que c'est Patsy ?

— A moins qu'un autre malade roule comme un fou.

— Mon Dieu…

Randi semblait désespérée.

— Que va-t-elle faire ? s'affola-t-elle.

— Je n'en sais rien.

Il suffisait toutefois de se rappeler l'accident de Randi pour envisager le scénario.

Randi tenta une fois de plus de joindre la police.

— Ça sonne ! Où sommes-nous ? Il faudra que je nous situe… Oh non ! Ça a coupé.

— Recommence ! ordonna Kurt.

Un panneau sur le côté de la route indiquait une pente raide.

— Tu devrais peut-être ralentir, suggéra Randi. Pour la forcer à ralentir aussi.

— Et si elle a une arme ? Un fusil ?

— Une arme ?

Tout à coup, le véhicule qui les suivait alluma ses phares et sembla faire un bond en avant.

Kurt fit un écart vers l'intérieur de la route, du côté de la paroi rocheuse.

Le pick-up les talonnait de près.

Un virage serré se profila. Un panneau indiquait que la vitesse maximale dans ce virage était de cinquante kilomètres à l'heure. L'aiguille du compteur de la jeep dépassait les quatre-vingt-dix. Il rétrograda et freina. La voiture se mit à tanguer de gauche à droite.

Le pick-up ne les lâchait pas d'une semelle.

— Elle se rapproche ! cria Randi en continuant de taper le numéro de la police.

— Oh ! mon Dieu !

Boum !

La voiture les percuta. La jeep tressauta, serpenta vers la glissière de sécurité, les roues rebondissant sur l'asphalte mouillé et glissant. Kurt laissa aller puis contrebraqua à la dernière minute. Son cœur battait à tout rompre, et il transpirait à grosses gouttes. Il ne pouvait pas perdre Randi et le bébé !

— Allô ? Allô ? C'est une urgence ! hurla Randi enfin en ligne avec le répondeur de Police Secours. Quelqu'un essaie de nous tuer. Nous sommes sur l'autoroute du nord du Montana.

Elle hurla leur localisation approximative et le numéro de la route, puis proféra des jurons quand la ligne coupa.

Boum !

Un nouveau choc à l'arrière de la jeep.

La roue avant heurta un bloc de glace, et le 4x4 se mit à tournoyer comme au ralenti. Kurt lutta avec le volant, vit la glissière de sécurité et au-delà, le vide. Serrant les dents, il essaya de maintenir le véhicule sur la route, sentit le pare-chocs percuter la glissière et entendit l'horrible son du métal qui se déchirait. Pour couronner le tout, le bébé pleurait et Randi hurlait.

— Allez, allez ! marmonna Kurt entre ses dents.

Il fournissait un tel effort pour tenter de garder le contrôle que ses épaules lui faisaient mal. Il ne fallait pas qu'il perde la femme qu'il aimait, ni son enfant. Pas maintenant. Pas de cette façon. Pas une nouvelle fois !

— Oh ! mon Dieu ! Attention ! cria Randi.

Trop tard.

Cette fois, le pick-up percuta la jeep sur le flanc, creusant le côté passager dans un fracas de tôle insupportable. Les doigts de Kurt se cramponnèrent au volant, mais le véhicule ne répondit pas. Le pare-chocs du pick-up était coincé dans celui de la jeep, et les deux voitures glissèrent ensemble, de plus en plus vite. Les arbres et l'obscurité défilèrent dans une vision confuse et brouillée.

Randi hurla.

Le bébé pleura de plus belle.

Kurt laissa échapper un juron.

— Tiens bon !

Les deux véhicules encastrés allèrent heurter la montagne et ricochèrent sur la route avec assez de force pour les entraîner par-delà la glissière de sécurité.

Ils basculèrent dans le vide.

Quelque part, une sonnerie retentissait… régulière… au son aigu… C'était exaspérant !

Que quelqu'un décroche ce fichu téléphone, pour l'amour du ciel !

Randi avait un mal de tête épouvantable, l'impression d'avoir reçu des coups sur tout le corps, un horrible arrière-goût dans la bouche et… Elle ouvrit un œil et le referma aussitôt. Tout était si blanc, si aveuglant !

— Randi ? Tu m'entends ?

Quelqu'un braqua une lampe dans ses yeux et elle eut un mouvement de recul. La voix était celle d'une femme. Une voix familière… Randi ferma les yeux. Elle voulait dormir encore. Elle se trouvait dans un lit muni de barrières de sécurité… un lit d'hôpital ? Comment était-elle arrivée là ? Vaguement, elle se rappela l'odeur du caoutchouc brûlé et des sapins… des lumières rouges et bleues… sa famille qui l'entourait… et Kurt, penché au-dessus elle, lui murmurant qu'il l'aimait, le visage tuméfié et en sang… Ou étaient-ce les souvenirs d'un rêve ? Kurt… Où était-il ? Et le bébé ? Joshua. Oh ! mon Dieu ! Elle ouvrit les yeux instantanément et essaya de parler.

— Jo… Joshua ?

— Le bébé va bien.

Tout devint flou l'espace d'une minute, puis elle se tourna vers la personne qui lui parlait et vit Nicole, debout dans la pièce. Un autre docteur était en train de l'examiner, mais elle garda les yeux rivés sur sa belle-sœur. Des souvenirs de la terrible nuit et de l'accident l'assaillirent.

— Joshua est au ranch, avec Juanita. Dès que tu sortiras, tu pourras le retrouver.

Soulagée de savoir que son fils avait survécu, Randi soupira.

— Vous avez eu de la chance, dit le docteur.

Nicole acquiesça.

De la chance ? De la chance ? Elle ne voyait pas du tout où était la chance là-dedans.

— Kurt ? réussit-elle à dire dans un murmure.

— Il va bien.

Dieu merci. Tournant lentement la tête, Randi parcourut la pièce du regard. La chambre d'hôpital était nue. Une perfusion intraveineuse distribuait un liquide dans son poignet, tandis qu'un moniteur affichait son rythme cardiaque et émettait les bips continus qu'elle avait entendus tout à l'heure. Sur le rebord de la fenêtre trônaient plusieurs vases remplis de fleurs.

— Je… je veux voir… mon bébé… et… et Striker.

— Ça fait deux jours que tu es à l'hôpital, Randi, lui apprit Nicole. Tu as eu une commotion cérébrale et le poignet cassé. John Junior, euh… je veux dire, Joshua, avait un gros rhume mais il n'a pas été blessé. Heureusement, une ambulance se trouvait à un quart d'heure seulement du lieu de l'accident. La police a eu ton message, alors ils ont pu vous retrouver assez rapidement.

— Où est Kurt ?

Nicole s'éclaircit la voix.

— Il est parti.

Randi crut que son cœur allait se briser. Il était déjà parti ! La douleur en elle se fit plus grande.

— Il présentait des lésions à l'œil et une épaule démise, lui apprit Nicole.

— Et il est parti… comme ça ?

Nicole fronça les sourcils.

— Oui. Je sais qu'il est allé voir un spécialiste à Seattle. Un ophtalmologue.

Randi se força à prononcer les mots.

— Est-il aveugle ?

— Je l'ignore.

Randi avait l'impression que sa belle-sœur lui cachait quelque chose.

— Kurt ne reviendra pas, c'est ça ?

Nicole prit la main de Randi et la serra.

— Je n'en suis pas sûre, mais puisque tu me le demandes, je dirais : non, je ne pense pas. Lui et Thorne ont eu des mots. Maintenant, fais-moi plaisir, suis les conseils de ton médecin et repose-toi. Tu as un bébé qui t'attend au ranch et trois frères qui sont impatients de te revoir à la maison.

Nicole pressa les doigts de Randi, qui ferma les yeux. Alors, ses frères avaient survécu !

— Qu'est devenue Patsy ? s'enquit-elle.

— Elle est en garde à vue. Le hasard a voulu qu'elle s'en sorte indemne.

Le médecin s'éclaircit la gorge.

— Il faut vraiment vous reposer, dit-il.

— Pas question !

Elle chercha le bouton pour incliner le lit et l'actionna.

— Je veux sortir d'ici, voir mon bébé et…

Une douleur atroce lui vrilla le crâne. Elle se laissa retomber sur son oreiller.

— Vous avez peut-être raison…, reconnut-elle.

Il fallait qu'elle se rétablisse. Pour Joshua.

Et Kurt ? Son cœur se serra à la pensée qu'elle ne le reverrait peut-être plus jamais. Non ! Elle ne pouvait pas le laisser partir !

Non ?

*
* *

Trois jours plus tard, elle sortit de l'hôpital et retrouva sa famille. Joshua était guéri, et elle éprouva un bonheur infini à le tenir de nouveau dans ses bras, à respirer son doux parfum de bébé. Juanita était dans son élément, à s'occuper du bébé, à donner des ordres à tout le monde et à diriger la maison.

Larry Todd avait apparemment pardonné à Randi de l'avoir renvoyé, bien qu'il ait insisté pour obtenir un contrat signé, cette fois-ci. Et même Bill Withers, après avoir eu vent de l'accident, avait permis à Randi d'écrire sa rubrique depuis le Montana.

— Ne laisse pas ça s'ébruiter, lui avait-il demandé au téléphone. Sinon les gens ici pourraient croire que je suis une bonne pâte.

Randi venait d'aller voir Joshua dans sa chambre, où il dormait tranquillement dans son berceau. Avec son bras en écharpe, elle descendit l'escalier pour aller voir ses frères. Une odeur de chocolat et de sirop d'érable montait de la cuisine, où Juanita faisait de la pâtisserie.

Elle ne vit Matt et Slade nulle part mais trouva Thorne dans le bureau, assis devant l'ordinateur, une tasse de café froid posée à côté de lui. Sûrement occupé à racheter une société, à préparer un procès, ou à changer une fois de plus les plans de sa nouvelle maison, se dit Randi. Quoiqu'il fît, elle était bien décidée à l'interrompre.

— Il paraît que tu as passé un savon à Striker, dit-elle.

Encore sous analgésiques, elle était tout de même assez remise pour se tenir debout, en robe de chambre et pantoufles.

Thorne leva les yeux et sourit.

— C'est exact.

— Tu l'as rendu responsable de ce qui nous est arrivé, à Joshua et à moi.

— Peut-être que j'y suis allé un peu fort, admit son frère avec une sérénité inaccoutumée.

— Tu n’avais pas le droit ! Il a fait de son mieux.

— Et ça n’a pas suffi. Tu as failli être tuée, et Joshua aussi.

— Si nous avons survécu, c’est grâce à Kurt.

Un sourire naquit au coin des lèvres de Thorne.

— J’avais compris.

— Vraiment ?

— Absolument.

Il ouvrit un tiroir et en sortit les deux morceaux d’un chèque déchiré.

— Striker a refusé d’être payé. Il se sentait mal, après ce qui est arrivé.

— Et toi, tu n’as pas arrangé les choses.

— C’est faux.

Thorne s’adossa à sa chaise jusqu’à la faire grincer et leva les yeux vers elle.

— Bon d’accord, je l’admets, dit-il. Mais j’ai revu mon jugement depuis.

— Qu’est-ce que ça change ?

— Beaucoup de choses.

Randi plissa les yeux.

— Tu manigances quelque chose, dit-elle.

— J’essaie de me racheter.

— Ça ne me dit rien qui vaille.

— Tu as tort de t’inquiéter.

Au moment où il regarda par la fenêtre, elle entendit le bruit d’un moteur.

— On dirait que nos frères sont de retour.

— Ils étaient partis ?

— Mmm. Suis-moi.

Il se leva et tous deux allèrent à la porte d’entrée. Par la vitre, Randi vit Matt et Slade descendre d’une jeep. Mais ils étaient accompagnés d’un autre homme ; en l’espace d’une seconde, elle reconnut Kurt. Son cœur fit un bond dans sa poitrine, et elle ouvrit grand la porte, manquant de trébucher sur Harold, l'épagneul, quand elle traversa la véranda en courant.

— Attends ! cria Thorne.

Déjà, elle s'élançait dans l'allée couverte de neige, ses pantoufles et sa robe de chambre lui offrant une maigre protection contre l'air froid et hivernal.

— Kurt ! s'écria-t-elle.

Ce fut seulement alors qu'elle vit le pansement sur ses yeux. Kurt se retourna et se fendit d'un sourire. Sans réfléchir, elle se jeta dans ses bras.

— Mon Dieu ! comme tu m'as manqué ! murmura-t-elle, et des larmes lui emplirent les yeux.

Il avait le visage couvert de bleus, et son œil valide était légèrement enflé.

— Pourquoi es-tu parti ?

— J'ai pensé que c'était mieux ainsi.

Sa voix était rauque, rude, et le bras qu'il avait mis autour d'elle, puissant et décidé.

— Eh bien, tu as eu tort, dit-elle.

Elle l'embrassa avec passion et sentit la bouche de Kurt épouser la sienne, son corps se tendre contre elle.

Lorsqu'il leva enfin la tête, il souriait.

— C'est ce que tes frères m'ont dit aussi.

Il lança un regard à Thorne, qui avait suivi Randi à l'extérieur, et se crispa légèrement.

— Content de te revoir, dit Thorne. J'ai commis une erreur.

— Comment ? Serais-tu en train de t'excuser ? ironisa Randi. C'est un jour à marquer d'une pierre blanche, poursuivit-elle en s'adressant à Kurt. Thorne McCafferty ne reconnaît jamais, je dis bien jamais, qu'il a tort.

— Tout à fait exact, dit Matt.

— Tu l'as dit, approuva Slade.

Thorne serra les dents.

— Vas-tu rester ? demanda-t-il à Striker.

— Je vais réfléchir. Donnez-moi une seconde, d'accord ?

Il regarda les trois frères, qui trouvèrent tous subitement des raisons de rentrer à la maison.

— Il fait froid, et tu es blessée..., dit-il en lui touchant le poignet. Alors, je vais faire court. Randi McCafferty, veux-tu m'épouser ?

— Co... comment ?

— Je suis sérieux. Depuis que je vous ai rencontrés, toi et ton petit bonhomme, ma vie a changé.

— Je ne peux pas le croire.

— C'est la vérité, Randi.

Elle sentit son cœur se soulever de joie. Des larmes fraîches roulèrent sur ses joues.

— Epouse-moi, murmura-t-il.

— Oui. Oui ! Oui !

Randi jeta les bras autour de son cou et se promit en silence de ne plus jamais le laisser s'en aller.

Épilogue

— Je le veux.

Randi venait de prononcer ces mots sous une tonnelle de roses. Kurt se tenait à son côté, tandis que le prêtre prononçait les derniers mots scellant leur mariage. Ses belles-sœurs l'entouraient, Kelly portant Joshua dans ses bras, tandis que ses frères se tenaient à côté de Kurt. Le vaste jardin du ranch était empli d'invités, et le soleil d'été jetait des rayons dorés sur les champs qui s'étendaient à perte de vue.

Cela faisait maintenant plus d'un an que John Randall avait quitté ce monde. La nouvelle écurie était achevée, il ne restait plus qu'à la peindre. Thorne et sa famille avaient emménagé dans leur nouvelle maison. Nicole et Kelly, enceintes, étaient en fin de grossesse.

— … je vous déclare mari et femme.

Les paroles du prêtre résonnèrent dans le silence. Au loin, dans la prairie, un cheval hennit bruyamment.

Randi leva les yeux vers son mari et son cœur se gonfla de joie. Kurt était remis de l'accident, et seule une petite cicatrice au coin de l'œil rappelait que sa vision périphérique avait été menacée.

Patsy et Sam Donahue avaient été jugés, et purgeaient leur peine. Sam avait accepté d'abandonner toute autorité parentale sur son fils, et Kurt avait engagé une procédure pour adopter légalement Joshua.

Randi, Kurt et Joshua vivaient désormais au ranch, et Randi poursuivait son travail, même si Kurt pensait qu'elle devrait abandonner sa rubrique appelée « Solo » pour en créer une nouvelle, cette fois consacrée aux jeunes couples.

— Un toast ! s'exclama Matt quand elle et Kurt avancèrent vers la table où une sculpture de glace représentant deux chevaux au galop était en train de fondre, et où le champagne rosé coulait à flots.

— Aux jeunes mariés ! dit Thorne.

Randi sourit et tortilla le médaillon qui pendait à son cou. Jadis, elle y avait inséré des photographies de son père et de son fils. Désormais, John Randall avait été remplacé par un petit cliché de son mari.

— A mon épouse ! dit Kurt en faisant tinter le bord de sa coupe contre celle de Randi.

— Et à mon mari !

Elle but une gorgée de champagne et sourit aux invités. Jamais elle ne s'était sentie aussi heureuse, aussi sereine.

Un peu plus tard, elle prit son fils dans ses bras et dansa avec lui sur le plancher improvisé quand l'orchestre commença à jouer et que des ombres se mirent à ramper sur les terres du M Volant.

— Je t'aime, murmura Kurt lorsqu'elle le rejoignit.

Randi eut un rire joyeux.

— Tu as intérêt ! Et pour toujours !

Il lui donna un baiser et la serra dans ses bras pendant une longue minute, puis ils se mêlèrent aux invités.

A présent, tous les enfants McCafferty étaient mariés, comme l'avait voulu John Randall, leur père. Et d'autres petits-enfants s'annonçaient.

Randi pouvait presque entendre son père lui dire : « C'est bien, ma petite Randi. Il était temps que tu te ranges. » Elle pouvait sentir sa présence et ne doutait pas une seconde que, s'il avait été en vie, il aurait été très fier.

Une nouvelle génération de McCafferty allait prendre la relève.

Chère lectrice,

Vous nous êtes fidèle depuis longtemps?
Vous venez de faire notre connaissance?

C'est pour votre plaisir que nous avons imaginé un rendez-vous chaque mois avec vos auteurs préférés, vos AUTEURS VEDETTE dans les collections Azur et Horizon.

Les AUTEURS VEDETTE vous donneront rendez-vous pour de nouveaux livres vedette.

Pour les reconnaître, cherchez l'étoile... Elle vous guidera!

Éditions Harlequin

LE FORUM DES LECTEURS ET LECTRICES

CHERS(ES) LECTEURS ET LECTRICES,

VOUS NOUS ETES FIDÈLES DEPUIS LONGTEMPS?

VOUS VENEZ DE FAIRE NOTRE CONNAISSANCE?

SI VOUS AVEZ DES COMMENTAIRES, DES CRITIQUES À FORMULER, DES SUGGESTIONS À OFFRIR, N'HÉSITEZ PAS… ÉCRIVEZ-NOUS À:

LES ENTERPRISES HARLEQUIN LTÉE.
498 RUE ODILE
FABREVILLE, LAVAL, QUÉBEC.
H7R 5X1

C'EST AVEC VOS PRÉCIEUX COMMENTAIRES QUE NOUS ALLONS POUVOIR MIEUX VOUS SERVIR.

DE PLUS, SI VOUS DÉSIREZ RECEVOIR UNE OU PLUSIEURS DE VOS SÉRIES HARLEQUIN PRÉFÉRÉE(S) À VOTRE DOMICILE, NE TARDEZ PAS À CONTACTER LE SERVICE D'ABONNEMENT; EN APPELANT AU (514) 875-4444 (RÉGION DE MONTRÉAL) OU 1-800-667-4444 (EXTÉRIEUR DE MONTRÉAL) OU TÉLÉCOPIEUR (514) 523-4444 OU COURRIER ELECTRONIQUE: AQCOURRIER@ABONNEMENT.QC.CA OU EN ÉCRIVANT À:

ABONNEMENT QUÉBEC
525 RUE LOUIS-PASTEUR
BOUCHERVILLE, QUÉBEC
J4B 8E7

MERCI, À L'AVANCE, DE VOTRE COOPÉRATION.

BONNE LECTURE.

HARLEQUIN.

VOTRE PASSEPORT POUR LE MONDE DE L'AMOUR.